知らない内に感染している場合が有るだろう！』って、怒られた。ガツン!!　……此れらは、ホンの一例。だが然し、そんな私でも、世間から〝識者〟と称され・称する方達を意識する時……、しばしば『思いチガイした発言をしているなあ』と気が付く時がある。

そして、そんな自分自身を私は、〝理系の人〟と呼んでいるのだ。まあ……此処んところはグッと我慢して……、ご自分を抑えて読み飛ばして頂きたい。

例えを一つ挙げて言うと……現在の話題の中心（先程の）《コロナウイルスの問題》にしても、識者が、種々の意見を言って[illegible]系の人〟に言わせると、此の問題のポイントは、只一つ、【どうした[illegible]済むか】ではないかと思う。ところが日本社会は、専門家を含め殆ど[illegible]ディアなどの報道で、此のシンプルな〝どうしたら感染を防せげる[illegible]が為されていない。

口を開くと『感染率・陽性率・感染再[illegible]検査』『〝マスク〟を……〝マスク〟が……』などである。お陰で現在[illegible]続マスク〟！　殆どの人がマスクを装着している。だが実は〝マスク[illegible]者は別として）感染者こそが付けるべきモノの筈だ。防御に対して[illegible]ないが、感染を防ぐ為にはもっと〝実際的な考え〟を持たなければ[illegible]ったモノだ。

此の事を、本文にて集中的に、詳しく述べている……。だが少しだけ触れておくと……本文では〝結膜炎〟も、例として挙げ、話を進めている。……思い浮かべて欲しい。結膜炎！　目の病気で、目が真っ赤になって仕舞う、プールなどで感染し易い、アレである。私も先日掛かって仕舞ったのだが、ドクター曰く『宮田さん、手の消毒が大事、良く手を洗いなさいヨ！』と。だが私は内心『えっ？　手を良く洗う必要があるのは自分の周りの〝人〟ではないのか』と思った……此処いらから〝文系の人〟と〝理系の人〟との違い、に付いて面白く、正しく……述べている。故に、詳細は本文をお読み頂きたいのである。

も一つ、挙げてみる。今度は〝理系の人〟の真逆、〝文系の人〟に付いてである。新聞の世論調査に於ける〝支持政党の無い人〟即ち《無党派層》と呼ばれる人達の事である。此の人達は、私にとって〝不思議な存在〟である。支持政党が無いという事は、我が国の〝運営を任せるに足る〟と思う政党は無い、という事であろう。

だが然し、日本の国を良くする為、運営する政権を選択（選挙の事）するには、〝政党〟を抜きにして考える事は難しいのではないか。無論、軽いノリで『今の日本に、気に入った政党なんて無いよなあ』と〝斜に〟構えて慨嘆するの図なのかも知れない。でも此の方達、そんでもって選挙には行くのかなあ、と疑問に思っちゃう。好きなサッカーチームを選ぶ、などという人気投票とは訳が違う。だからチャンとした理屈が無い、と私が申す人達である。……此の件も、本文にて詳しく説明している。も一つ……。〃死刑〃の事に付いてである。或る団体が〃死刑制度反対の理由〃に『若し冤罪で死刑となったら、取り返しが付かない』としている、此の〃理由〃の、思いチガイをただして述べている。私は、此の人達（団体）は〃文系の人〃の塊であると思っている。何故って物事に【若し○○が起きたら……大変な事になるから】という理由で反対する事が罷り通ったら、社会の活動は一歩も前に進めないし、成り立たない。此れではチャンとした理屈にならない、と思う。此の件も又、ご納得のいく説明を本文にてタップリ述べている。

序でにも一つ言うと、〃原発即ち原子力発電〃の事である。此の件も又、多くの人、然も、有名な人々がチャンとした理屈無しに《反対》を唱えている。私が言う〃文系の人〃である。此の人達に付いても又、本文にて見事に？　論破している（と思う……）。では、是非本文にご期待戴きたい。

２０２０年05月20日

目次

吾輩は〝理系〟である

―〝無学〟の男が〝識者〟の思いチガイをただす―

抑々世間では〝文系〟〝理系〟などと呼ばれているが、其の定義が有る訳もなさそうで、強いて言えば其の人の興味のある対象に違いがあるという事らしく、学問の分類で言えば文系は、文学、歴史学、心理学などを学ぶ、とあり、此の学問では〝人〟を対象としていて、一方〝理系〟は、数学、科学・化学、医学などで〝モノ〟を対象としている、らしいのである。

処が然し……、私の言う〝理系の人〟とは其の学問で分類された人の事などではない。《はじめに》で記述したので重複する部分もあるが、ご容赦願って進める。抑々無学であるし、凡そ学問には縁もゆかりもない、其の私が、わざわざ〝理系〟と言ったのは……人間社会には、モノ事の考え方に〝理系〟的な考え方をする人間と、そうでない人間即ち、〝文系〟の人……が居るという考え方からである。

そして其の〝峻別〟には先述の様な、一般的な学問の分け方を用いない。単純に2点《モノ事を理論的に考える事が出来る》か、《出来ない》か、のみで行っている。

そして、何か問題・話題が出た時……、其れに対して【論理を基にして……】考え、述べる人を〝理系の人〟と呼び、一方……、【論理ではなく言わば感情的・感覚的に……】捉え、其の意見を述べて事足れる即ち、〝真面な事を言ってる積りになっている人〟を〝文系の人〟と呼んだのである。此れから此の理系・文系、と峻別する考え方に付いて、例を挙げ乍ら述べていく。

コロナウイルス問題　―コロナは〝手洗い・消毒〟で防御出来る―

今や世界的に大騒動になっている〝コロナウイルスの感染拡大〟、此れに対して日本政府も専門家会議を擁して、積極的に対策を打ち出して来た。非常事態宣言発令、所謂《三密》密閉・密集・密接……、此れらの場所に集合しない、という外出自粛、学校の休校・店舗の休業、人との接触回避（間隔空け……）などの要請といった処であろう。

だが私に言わせると、此の感染拡大阻止への対策には、もっと強調されるべきモノが欠落している、と思う。其れは【各人による、手洗い・手のアルコール消毒の実行】である。無論、此の点に付いては〝マスクの装着〟と相俟って、当然実践されているのが前提となっている、と言われるかも知れない。専門家の言には『感染防御には手洗いを実行すべし』とある事が確かだからである。従って私が『手洗い・消毒が強調されていない』と言えば必ずや、『言及はしている』・又は『防御、其れが前提で議論している』といった答えが返って来るだろう。

だが、彼らが真剣に議論している様子の場に於いて、私が見ている限り、専門家も含めテレビなどメディアでの所謂、識者らに依る発言に凡そ《感染を直接防御する事》への具体的指導など、ついぞ聞いた事が無い。此れが実態である……とは言い過ぎだろうか。付け加えると……、5月23日（土）産経新聞の〝都の新しい日常〟と題する記事を拝読したが、此処でも〝手の消毒〟などに関する項目は見事に抜け落ちていた。但し施設などに対する提言であって、個人への其れではない、と言われれば其れ迄だが、納得出来るモノではなかった（其の後の、産経新聞などの紙面で其れらしき（手洗いの必要性）記事が有るのを見掛けたが、そんな程度である）。

そして此処で、私の説である〝理系の人〟の考え方に照らして言うと【コロナの感染阻止に最も必要なのは〝手の消毒〟である】と断言する。私がそうする根拠は……。コロナウイルスの根本的防御、其れは一に掛かって【罹患しない事】に尽きるからである。そして其れが【手洗い・手の消毒】に依って達成出来るからである。故にコロナ問題で、【罹患しない為のポイントである〝手の消毒〟の必要性】を省いて或いは触れないで、議論をしているとしたら其の人は、私の言う〝文系の人〟と断定する。但し、政府の行っている方策、其れらを全て、重要な事柄である事と認めた上で尚、そう言うのである。そしてメディア上での、識者などと称する彼らの口に上る、其れら《感染率・陽性率・感染再生産率》又、《ＰＣＲ・抗体・抗原などの各検査》等々はコロナ対策に於いて〝尤もな事〟であり、其れらは〝自粛解除〟や今後の日常生活に関する方針の、重大な根拠となり、有益であろう、と言っておく。

だが一方、其れらは全て、国民が、感染しない為の直接的な防御法としての【手の消毒】からは〝一歩も二歩も〟劣る〝間接的な〟モノなのである。多分此処で〝文系の人〟は『〝劣る〟だと？　飛んでもない事言うな』と噛み付いて来るのではないか。彼らの唱える事柄、其れらは皆、コロナ問題に付いて〝関連しては、いる〟からだ。其れ故自分はコロナ感染防御に寄与している、と自負して議論を重ねている筈だろう。だが私は、其の議論は【感染防御即ち、罹患しない為の……ダイレクトな方策】ではない、と言っているのである。

【感染率・陽性率（ＰＣＲ検査を受けた人の内、何人が陽性だったかを知る為の算定法の由）など】其れらは全て、過去のデータを基に算定され、此れから先はこうなるであろうと予測し、今後の感染防止の方針・方策を練るモノとしては無論重要な指標ではある。感染者を〝見付け出し……〟〝収容し〟他者に感染させない為の方策とはなる、其れは理解する。だが、肝心のウイルスの感染を防ぐ為の直接的な方策とは、成り得ないモノと私は言っている。無論、先述の通り、無駄なモノなどとは絶対に言っていない。当然である。唯、〝理系の人〟……私の言う重要〝ポイント〟は【感染しない・罹患しない】であり、其の方法に付いて、もっと強調・報道すべきだ……、との主張に間違いは無いと思っている。

ニワトリが先か卵か、では有るまいし。だったら【データを基に、今後の方策・方針を立てる】モノと【コロナ直接阻止・防御策】は、併行して発信・報道したら良いではないか。素人の私が……主張するのは、コロナ対策は、もっとシンプルに考えるのが一等大事であって、コロナを阻止するには、国民を〝如何に罹患させないか〟が一等先に来るべきではないのか。なのにメディア上では兎角、専門家・識者は〝七面倒な……〟コロナウイルスの特性から、ＰＣＲ他、諸検査の詳細な説明、感染率・陽性率・感染再生産率の算定……等々、国民が然程、突っ込んで知るべきモノでもないと思われる事柄の報道が多過ぎる、と思う。

無論、弁護して置くが、テレビ・新聞など、民間のメディアは営業上の至上・制約がある、事に関しては理解する。四六時中、〝コロナ防御（手洗い・消毒）対策〟の説明だけ遣っていても、視聴率・販売部数が〝持たない〟のだろう。だからもっと刺激の強い、興味深いとされる話題で多少見当外れなモノにも、力を入れるのは止むを得まい、とは言える。但し、テレビなどでの自称・他称のコメンテーターなどが、ロクに見識も無い儘に〝愚にも付かない〟コメントを発しているのには、ヘキエキする事が多い。あと、国会での野党議員らの〝其れ〟も、目に余るモノが多い。まさしく、私の言う〝文系の人〟の集まり、まるで「居酒屋での雑談の様だ」と言って置く……。

其れと、重要なのは〝NHK〟こそ、コロナに関しては、一等一番に【感染しない為の方法】としての〝具体的な指導〟を、もっと数多く報道していくべき、という事ではないか。先述の〝コロナウイルスの専門的な知識〟の披瀝などを後回しにしてでも、である。偏向報道などでNHKには、言うべき事が沢山あるが、此の件は、此れ迄とする。次に、私の【感染しないで済む方法】の説明に進む。

感染のタイプとメカニズム

コロナウイルスは空気感染ではなく、人と人との接触から起きる、とは殆どの専門家の見解とみて良いと思う。一方、空気中に漂う《エアロゾル》という個体・液体の粒子には、ウイルスが居る、という実態からコロナウイルスもエアロゾルに居るのではないか、という説もあったが、確認出来ない、とされたとも聞いている。私も素人乍ら『若しエアロゾルにコロナが居たとしたら、今言われている、世界で500万人余（2020年05月時点で）ともなる感染者数は、もっともっと驚異的な数となる事必至で、此んな数字で済まされる訳もない』と思ったからである。

故に、コロナ感染のタイプは二つ、〝飛沫感染〟と〝接触感染〟である。何れもコロナウイルスが人間の口・鼻・目の粘膜に吸着し、身体に侵入し感染が起きる。傷口が無い限り皮膚からは入らない。尚、《肛門・性器》は対象外として話を進める。

メカニズムとして〝飛沫感染〟は、ウイルスを保持している感染者が、咳・クシャミなどをした時、水滴と一緒に飛び出したウイルスが、凡そ2メートル以内に居た……人の口・鼻・目の粘膜に吸着、其れを通じて、体内に侵入して起きる、とされる。一方、〝接触感染〟は、感染者が咳・クシャミをした時、口を押さえた又はティッシュなどで拭き取った時、水滴中のウイルスが其の〝手〟に付着し、其の手で触ったモノに、別の人（感染していない）が触り、其の人の手に居るウイルスは、其の人が口・鼻・目に触れれば、（皮膚の粘膜の〝レセプター〟という入り口）から侵入して感染が起きる、という事らしい。

次は〝感染防御〟の具体論

〝飛沫感染〟はマスク装着に依り、完全ではないが一応防げるのではないか、とされている様だ。だが最近だが、或る医学者？　が『マスクをしてさえいれば、2メートル以内でも、〝三密〟でも平ちゃら……』などという事言っているらしい。だが此の言葉には無理がある。1万6000人以上（2020年05月現在）にもなる日本の感染者は《殆どの人がマスクを着けていた……》とみて良いからだ。此の事実から〝理系の人〟の私は『なのにどうして？』と思った。此の点に付いて『マスクをしていれば平気だ……』と言う医学者は如何思ったのか？　若しかして、私の言う〝文系の人〟なのだろうか？　専門家の説【……実は私、宮田はコロナ感染の事に付いて考えた時、未だ専門家に依る書物を読んではいなかった。故に以上述べた事は、素人の私が自分で、一生懸命考えて出した、説である。だが結果として殆ど間違ってなかった事が解り、誇らしく思った……と同時に、素人だからこそシンプルに、何が一等一番の、要点・ポイントなのかを、掴む事が出来た。難しい学説・データ論議などに依らず、邪魔されずに……である。此処を強調したかった！】によると、マスクはコロナの侵入を防げないそうである。詰まりマスクの目では、目に見えない程の微小なコロナ《120ナノメートル・（1／10ミクロン）早い話が人間の細胞の1000分の1という……》が易々と通過して仕舞う、と言う。

そうであろう、先述のエアロゾルなどは目に見えない。其処に居られる程小さなコロナが2メートル以内で、咳・クシャミをした人の口から、水滴と一緒に飛び出したら、マスクは、無防備に等しい。無論、絶対感染するとは言えないが、しないとも断言出来ない。要は運、という事になる。唯、感染している人にとっては、クシャミなどの時、装着しているマスクの内部に留まって他人に移さない、という効果は望めるのではないか。だが此の医学者の言う【感染していない人は〝マスクを着けてさえいれば……、感染者の咳・クシャミから防御出来る】という説は先程の専門家の言う『マスクの目はウイルスを簡単に通して仕舞う』説故に絶対的な防御にならない、と言って良い。一方、飛沫感染への〝マスクでの防御〟と、接触感染への〝手洗い・消毒による防御〟との〝精度の〟比較は、次に述べる確率の比較となる。先ず、飛沫感染の起きる条件は【①マスクを着けている自分が、感染者から2メートル以内に居た、②丁度其の時、感染者が〝咳・クシャミ〟をした、という二つの事柄が重なった時】である。そして、其の事が起きる確率と、〝接触感染〟で考えられる【ウイルスが付着した感染者の手が……触れる〝お金〟などの種々のモノに又、他の人が触れて……其の手で自分の口などに触って仕舞う】……確率とでは、どちらが高いか、との比較である。

【飛沫感染の起きる確率】と【接触感染の起きる確率】とでは問題にならない程、接触感染の方が高い、此れを理解する人が〝理系の人〟と私は思うのである。

一方、マスクをしていれば大丈夫、と言う医学者は《手洗い・消毒の事》には触れていないが、如何なモノか。私が此の人を〝文系の人〟と断定した理由は、其の両者の確率の事と、1万6000人余と言われる日本の感染者の殆どがマスクをしている、という事実を合わせて考えたのか、と此の医学者に問いたかったからでもある。もう少し言えば『マスクを着けて〝手洗い・消毒〟も丹念に行えば其れが一等宜しいのではないか』という事になる。

余談だが、私は昨日、日本の人の〝マスク装着の事〟を【同調圧力】と表現した人の文を雑誌で読んで其の後、ふと自宅の前の公園で〝人っ子一人〟居ない状況で《マスクを着けて……》じっと立っていた女の人を見掛けて『成程なあ……』と思った。広い公園では（況して無人の……）コロナウイルスは飛んで来ない！　１００％、と言って良い。だが此の方は『みんなマスクをしているから』と安心を得たい気持ちなんだなあ、と思った。絶対に、批判はしていない。でも〝文系の人〟だなあ、とは思った。

此処では〝理系の人〟と〝文系の人〟との考え方の違いを強調した積りである。

故に、マスクは感染者（感染していても、気付かない人も含めて）の為にある即ち、咳・クシャミをした時にマスク内に辛うじて留められるから、と言って良い。そして日本に於ける、安倍首相を始めとする〝1億総マスク〟は本来、感染者にこそ、して貰いたいモノだが但し……、感染しているか否か、本人にも判らない以上、感染している・いないに拘わらず、皆がマスクをする事自体はメリット有り、と言える。そして、人と人との間隔を2メートル空ける、というのも、感染者が〝飛沫を与えない〟という意味で効果がある、という事であろう。

次に、〝接触感染〟である。詳細に先述したが、感染者が咳・クシャミをした時、同時に飛び出したウイルスが手に付着し、其の手で触る種々のモノにウイルスが付着する。其れを又、感染していない人が触って、其の手で、自分の口・鼻・目に触れたら体内に侵入されて仕舞う。此の感染者が触るモノには、〝ドアノブ〟〝エレベーターのボタン〟〝エスカレーターの手摺り〟などを挙げて良く言われている。だが私に言わせると其れらのモノより、もっと注意すべきモノがある。

〝お金〟である。お金は誰もが利用する即ち、世に出回る機会・頻度が圧倒的に多いシロモノである。だから感染者も例外ではなく、《手に触れる》一等可能性のあるモノである、と言って良い。最近、良くスーパーなどのレジの前に、透明ビニールのカバーを下げている光景を見る。無論、互いに、感染者の〝飛沫〟を避ける意味であろう。但し〝お金〟は其のビニールの下をスルーして遣り取りされている。お金に感染者が触っている可能性がある以上、ウイルスが付着していたらビニールシートは、【接触感染の防御にはならない】。其の前っかわに、マスクをしてる事から来る〝安心感〟を以て、2メートル間隔を空けて立っている人達も、最後の場面でお金に触る訳だから、其処で〝付着している可能性のある〟ウイルスが移って来て仕舞う……危険がある事を知るべきである。

私は、其のマスク装着は却って、〝付けてさえいれば……〟との安心感が逆に作用して、〝手洗い・消毒〟への怠り、〝接触感染〟に気が行かない、注意しない、又は油断を生む、結果となる事を恐れる。別に〝ビニールクロスのカバー〟が無駄という訳ではない。だが、お金を触った後には必ず、〝手洗い・消毒〟が必要だ、と訴えたいのである。よく《手を洗いましょう》の奨励文言は、必ず、〝家に帰ったら〟……となっている。私の推奨文は、少しく違っている。【家に帰る前でも……《お金に触ったら》其の手で口・鼻・目には触らないで、成るべく早く〝アルコール消毒をしましょう〟】である。

今、街の殆どの店舗には、出入り口に《エタノール液》が用意されている、と言って良いのではないか。ならば〝其れを利用して〟消毒するのに、時間も手間も殆ど掛からない。況してや、お金は全く掛からない！　のである。此れが私の言う〝実際的な防御法〟なのである。現実的であろう、如何であろうか。

《三密回避》《外出自粛》《2メートル間隔を空けて座る・立つ》などは其れなりに効果はある（有った！）とは言えるだろう。感染者数は最近になって、減少して来ている。序でに述べると私、最近SNS上で『私は、何も感染を防ぐ為だけにマスクをしている訳ではない。若し私が知らずに感染していたとする時……人にウツさない為にも、マスクをしているのです』と言う人に出会った。私は感動を覚えた。まさに日本人……、こういう方が多数集まって今回、感染者減少を促進させ自粛解除に繋がった……、と。因みに私もキッチリ、マスクを着けている。其れは〝日本人が総結集して〟今回の（一応の）結果を出せた、と思っているし、私も日本人の1人として参加したい、其の意気でマスクを着けている！　此の部分は感覚的であって、〝理系の人〟私の日頃言っている事が少々、ぼやけて来るし、〝文系の人〟となって仕舞うが……ご容赦頂きたい。

だが経済再生の為に絶対に必要な《自粛解除に至る》には、感染者減少の程度が今一歩という処だ。此の状況では、もう少しシビアな方法が必要になって来る、と言って良い。其の為にはクドイ、と思われるだろうが、私の唱える〝手洗い・手の消毒〟を、今一層強化する事が必要になるのではないか。

〝三密回避〟〝外出自粛〟〝2メートル間隔〟とかは、感染への防御策の〝決め手〟ではない。

〝間隔を空ける（接触しない）事で防ぐ〟というのを具体的に言うと《感染者が咳をしてコロナが自分の衣服に付着した》となる。其の人と接触すると衣服から衣服へとコロナが移動する、という事が有り得る。此れが接触感染の一つだろう。だが、仮に万一、其の事が起きたとしても、最後の処……、口・鼻・目に触るのは〝自分自身の手〟である以上、感染者の衣服から伝わったとしても、最終的な自分の身体へのウイルスの侵入の阻止は、手を【良く洗う】・【普通のエタノール溶液（濃度80％程度の）で行う手の消毒】を確実に行えば防げるのである。私は別に〝間隔を空ける事〟が無駄だと言ってる訳ではない。其れでも『手洗いなど』が一等優先する防御なのです、と言っている。此れが〝理系〟の〝論理〟と言って良い。其の事を解る人が〝理系の人〟であると言っている。《手洗い・手の消毒》を、ヤルか否か、其処に掛かっている、という事は過言でない。そして《エタノール消毒》は、ウイルスが活動を止めて仕舞う効果が有る、との専門家の言を得て、私も意を強くしている。だから私は、政府が各店舗に《エタノール溶液》を配布したら良い、という案を自民党本部に提出した位である。〝此の組織なら、政府に働きかけて呉れる……〟と思ったから。（正確に計算した訳ではないが）税金の使い道として其の金額は、そんなに大それたものではないと思う。

防御を徹底した結果、若し新規の感染者が居ないとなったら、コロナ其のモノは、只の核酸とたんぱく質の塊……、人間など動物の生きた細胞に入り込めなければ、複製を作り増殖する事が出来ず、其れ自体が活動出来ない以上、数時間（検証で数日間をいう説もあるそうだが……）で死滅（生物では無いそうだから此の言葉は不適切か……）して、其の存在は〝ゼロとなる〟そうだからである。故に〝理系〟的に考えて【手洗い・消毒】の奨励、此れを一等優先して考えるべきではないか。【全ての道はローマに通ず】《全ては其処にある……》である。又、柄にもない事、言って仕舞った！

多分〝文系の方達〟は『コロナで〝手洗い・消毒〟が一等だ』と言う私の説を聞いて、何を『アナログな！』と思うのではないか。だが実は【データとか、検査などを基にしての議論】こそ、コロナ防御・阻止に付いては『デジタル』ではなく、『アナログ！』なのだ、と言いたい。まさに〝無学な男〟が〝識者〟をタシナめる、という図である。若し私の生意気な説に、反論がお有りなら是非聞かせて戴きたいものである。

【言われる前に、先に申し上げるが、「手洗い・手の消毒」でも絶対防げない事が一つだけある。其れは飲食店の従事者に感染者が居た、というケースである。「咳をし乍らパスタを作る、或いは感染者のウエイトレスが運んだコーヒーからコロナが移動して仕舞う」、此のケースが〝絶対無いとは言えない〟。だが其れは私が此の後の記述で指摘する「稀有なケースを以て全てを語る事の非合理」という論理で納得頂けるモノと思っている】。

もうお話は尽きたと思う。故に、此れはもう省いても良いだろうが、(はじめに)で、結膜炎の話をした。で、其の話に触れると、某ドクターの仰った『患者の貴方が良く手洗いをする事が大事』、其のモノ言いに〝ヒネクレ者〟の私が、逆ったモノだが、其の詳細はこうだ。【結膜炎は……ウイルスによって伝染する】故に手洗いを良くする事が大事……である。まさに正論である。だが私は(内心だが……)手を良く洗う必要性は結膜炎患者に、ではなく寧ろ、周りの〝感染していない〟人達に、であろう、と思った。何故って結膜炎のウイルスは、付着したモノから〝感染していない人の目に侵入する〟。だったら寧ろ、周りの人達の方が【感染しない為に……】〝自分が目に触る〟前には、絶対に良く手を洗う、此れがポイントである、と思ったからだ。ドクターの仰る、患者(ウイルス保持者)が手を洗う、というのは【人にウツさない為の……】エチケット行為なのであって、周りの人こそ【手洗い・手の消毒】が必要である。

此れは〝コロナ問題〟と同一の要点である、という〝理系の人〟のお話であった。此の項で、最後に強調して置きたいのは、コロナ問題の私の考え方の基調が『人からウツされない。罹患しない』であるが故に、『人がマスクを着けているから、自分も……』ではなかった。〝同調圧力〟には私は乗らない。無学だが〝理系の人〟私は

『何故なんだろう?』と自分自身で一生懸命に考えた末、一等大事な事詰まり〝ポイント〟は【手洗い・アルコール消毒】である、との結論に達したのである。【実は其の〝考えのルーツ〟に（先述の結膜炎の一件がある）、此れは……笑えるでしょう?】自慢話で締め括る事をお許し下さい。

無党派層と世論調査と野党議員の話

〝無党派層〟に付いて

〝はじめに〟で触れたが、日本には新聞の世論調査の中で〝支持政党なし〟と言っている人達が居る。そして其の人達を《無党派層》と呼称し、其の存在ソノモノを認めている日本のメディア其の他の人達（識者・評論家・与野党議員ら）は、其の〝本当の姿〟を認識した上での話なのか伺いたいモノだという件である。

私は考えた。縮めて言えば、《無党派層》の存在は【日本に於いて、内閣を作ろうとする時、政党の事を無視して出来るのか】という話には〝そぐわないモノ〟である、其れに尽きるではないか、と。抑々、日本国に於いては、自国民の為に、経済・外交・安全保障など諸般の施策を実行していく〝政権〟、其れをどの政党に任せたら良いか……、其れが選挙により決められるという実態が有るのではないか。言う迄も無く、選挙に於いて議員を選出し、当選した議員が多数属している政党が政権を担う、というシステムの事である《無論、此の時、無所属議員は少ない乍ら（厳密に言うと5名か）存在する》。

そして私は、選挙時に於いては、与野党交々、此の〝無党派層〟の人達の票を如何に取り込むかが、鍵となる、という話も知っている。だから、其の事が現実に有るとしたら、もう解ったではないか。〝無党派層〟と称する人達は、選挙が有れば、途端に姿を変える即ち、彼らは〝支持政党が無い〟、のではなく、選挙になると〝有る〟に変わる、そういう存在であろう。簡単に言って〝暫定無党派層〟である。〝恒久無党派層〟ではない。だから単に、〝無党派層〟と呼称する事自体が、誤解を招くし、抑々間違っている。実態を正確に表していない。日本の政界・メディアなどは、一体どういう神経で此の呼称を続けているのか。〝理系の人〟の私としては全く理解出来ないし、納得出来ない。無論馬鹿にしている訳もない。

唯、私流に〝文系の人〟《曖昧な存在を〝基に〟、議論をし続ける人達》だなあ、と思った訳である。但し成るべく早々に、〝暫定的無党派層〟とか〝非恒久無党派層〟などと呼んだ方が良さそう、とは言える（但し多分、そう簡単に変更しないのではないか。自己の説を撤回するのは誰もが嬉しくない事だ）。

ところで現在の処、そう呼称されている〝無党派層〟は政治、そして選挙にも関心無し……、なのか。識者と称する人の説によると、此の人達は、政治に関心が有るのは元より、其の知識も豊富なのだそうな……。そうであろう、何れ選挙になれば、何処かの政党を支持するのだから。ただし、知識が豊富、という事と、支持政党が決められない或いは決めない事とはどういう関係があるのか、とは思う。

其れに、元々政治に関心が無い、と言う人は別にして、《支持政党無しで、政治を語る人達》、又、其の《人達》の存在を基にして、大マジメに政治評論を行っている識者と称する人達に付いても、〝理系の人〟の私は、理解するに苦労する。

そして、世論調査に於いて〝支持政党が無い、と言う人達〟への設問に付いてだが、こうしたらどうか。『支持政党はどの党ですか？』の前に【選挙が始まったら……】という文言を付け加えるのである。滑稽だが、此れって、本質ではないか？何故って、選挙が始まったりすれば、此の人達の多数が、支持政党が〝有る〟人に変わる、という実態が有る事を誰も否定出来ないからである。だから〝票読み〟などが出現するのである。

但し其の中で〝選挙に行かない人達〟は政治に無関心だから、除外されるとして。私は、此の〝無党派層〟の数が選挙にどう影響するか、などに付いて語る積りは無い！　私が指摘する問題点は其処にはない。〝無党派層〟と呼称する事、延いては世論調査への疑問、に視点を置いている。そんなアイマイな〝実態〟を抱えた儘、日本の各新聞社が行っている、そして識者らが、己れの議論の〝基にして〟いる世論調査……。現在、其の世論調査の中で、日本国民が回答する『支持政党』の欄、其の中に有る《無党派層（圧倒的多数である）》という存在の、〝アイデンティティー〟は、私に言わせれば、無きに等しいモノである。〝無学〟の私が言う〝アイデンティティー〟とは〝同一性〟などという意味らしいが、此の場合、私は〝絶対的存在〟と訳す（其の場合→identificationであろう）が、完全なモノとして認められない、と指摘しているのだ。

抑々此の政党（政治）に関する世論調査の目的、其の中の一つが、国民が支持している政党の分布であろう。だとすると、実態が反映されていない以上、此の世論調査の数字は当てにならない、信用出来ない、という結論になる。

一方、元々政治には無関心で、無論投票にも行かない、という人達が居る。私は若い頃（10代の終わり~20代の初め……）、無関心だった其の上に……、自民党の事を〝ミンジトー〟と言って周りから笑われた経験の持ち主である。だから、政治に無関心の人達には〝シンキンカン〟がある。良い悪いは別にして、其の人達の考えには、未だ納得性がある。関心が無いから『投票しないし・政治に口も出さない』という理屈は其処の処で、一応通っている。だが思うに、其の人達は日本社会には、一応の満足感が有るのではないか。何故って若し、不満ならばもっと関心を持つ……、現在の政治の状況をもっと知ろうと、新聞などを読み、メディアなどから緒情勢や知識を得ようとする筈である。選挙に行かず、無関心で居られるのは現状満足に他ならない、と言って良いと思う。此れも昔だが、国民的英雄とされる〝ミスター長嶋〟さんが『若し、キョーサントー（シャカイトーだったか）が、政権取ったら〝野球が出来なくなる〟』と、心配したという話を聞いた。選挙に関心が無さそうな、長嶋さんだって、現状には満足感を持っていたから、こその発言ではなかったのか。無論《不満であるが、其の現状を変えるなど出来っこない……》と諦めている人も居ない訳ではないだろう、本当の処は〝解らない〟のだ。だが、一方『支持政党は無い』と言い乍ら〝選挙には行き、投票する……〟其の対象が個人なのか、政党で選ぶのか、其の考えがアイマイな様子の人達……。此の方達が若し、比例代表などで、個人で選んだとしても、其の個人が所属する政党の事は〝選んだ積りは無い〟、気に入っているのは〝個人だから、政党ではない〟と言うとして、其処に一体どういう意味があるのか。あくまで〝政党自体を支持している訳ではない〟と言い募っても……、自分が選んだ個人にしても、最終的に政党の議席として反映される以上、現実には〝或る政党を支持している〟結果となるではないか。〝理系の人〟の私に言わせれば『〝支持政党の無い人〟の存在など、其処に在るとは思っても間もなく、フーっと消えて仕舞う……〝霧〟の様なモノではないか』。

何れ選挙になると〝政党〟を選んでいる、からである。従って、確たる理屈も無く……議員の在り方（個人といっても結局は政党に所属する事になる）も解っていない様子の（無党派層）の人達を私は、〝文系の人〟と呼ぶのである。寧ろ、選挙に無関心とする人達の方が〝話の筋は通っている〟……〝理系の人〟と思う。

私は推測した。『支持政党名を今、言わない訳は、現政権に強引な或いは暴走する政治運営を、しない様牽制する……のが目的だからであり、支持政党を言わない事によって、此の先は《どうなるか、判らないぞ》と政権にプレッシャーを掛ける』効果がある。少し考え過ぎのキライはあるが、話の筋としてはオモシロイ、のではないか。政治評論を所業とする人達及びメディアらは此の事を《良く解っている》のではないか。但し〝理系の私〟は『だったら〝政権牽制派層〟とでも名付けたら良いのではないか』其の方が解り易い、と言いたくなる。そして、以上述べたのは私の《単なる推測》に過ぎない。

又、世の中には『兎に角、投票所に行き、1票を投じろ。参加しないなんて駄目。日本社会を変える為には先ず、選挙に行くべきだ』と言う人達が居る。

此処でも〝理系の人〟の私は、此れって『飛んだ見当違いの人達だなあ』と思う。何故って国民には、投票所に行く其の前に、まず遣るべき事がある。投票する〝対象（候補者）〟を知る、という作業が有るではないか。世の中に《或る件に付いて……》、何の知識もない人・事情を解っていない人が意見を述べたり、主張する……此れ程、世の中に無駄な事は無い！　此の場合で言えば、選挙に、候補者の事《人物・公約》を知らない儘、行く人の事を言っている。当然ではないか。闇雲に『兎に角投票所に行け』なんて言わない事だ。候補者の事を、ロクに知りもしない儘に投票する、などは危険極まりない。遣ってはイケナイのである。だから『兎に角投票に行け』を言う前に『候補者の言う事に耳を傾けろ』と言うべきである。抑々『政治を変える事が大事だ……』などと闇雲に……言う人も又、間違っている。〝理系の……〟私が言うのは、《政治を変えろ……政権交代が絶対必要だ……》と言う人は其の前に、【現政権の此処が悪い……】そして【こう変えたら良くなる】と提案があって初めて、〝変えろ〟とか〝交代が必要だ〟と言えるのではないのか。何が何でも先ず、変える事・変化が大事なのだ……という説（よく頻繁に言う人が結構の数で存在する）は、実は論理が通っていない。よく〝革命〟とか言う人のご説に、〝兎に角変える〟事が正しい・大事なんだ、とあるが、間違いである。今の時代には此ういった〝悪いトコロが有る〟と具体的に指摘し、〝其処の部分を変える事が必要〟と言うべきであろう。其処を素っ飛ばして【ナニが何でも変える事が大事】などと言うのは、可笑しいの一言である。

まさに〝文系の人〟の典型である、と言える。若い頃、部下（一応……）だった女性が『兎に角こんな世の中、ぶっ壊しちゃえばイイんですよ』と言ったので『其れも良いが、其の後どうするのかを言わなければダメだぜ』と私が言ったら、黙っちゃった事があった。

世論調査の問題点など……

世論調査の必要性、というより必須であろう点に付いては、私にも解る。日本の国民が何を考えているのかを、知る事の大切さを今更、述べる必要はない。唯、其れでも、問題点が有る事だけは指摘したい。縮めて言うと《設問の在り方》である。具体的には例を、一つだけ挙げる（他にも多々あるが、重要性を感じるから此の件を選んだ）。３年位前の世論調査に（〝日本の〟首相の人柄に関して）の項目に『信頼（新聞社により〝信用〟とされている）出来ない』という選択肢を以て回答を引き出すモノを設けてあった事だ。私が問題とするのは、其の〝信頼出来ない〟という選択肢が設けてある事は、了としても……他の対象（各政党）には、其の〝句（信頼出来ない）〟が設けられていない事に違和感がある。〝信頼出来ない〟という選択肢が無いという事は、ハナから各政党の議員達は皆、〝信頼出来る〟という前提があるのか。首相にだけ其の設問があって、他の議員達には無い、其れって違和感、というより、何か意図があっての事か？　と、普通の人は思って仕舞う、当然ではないか。況してやモノ事を理屈で考える〝理系の人〟の私にとっては尚更の事なのである。

▼私が此の件を取り上げたのは【日本の総理大臣に付いて日本国民は（世論調査に依って）〝信頼出来ない〟人物を選んでいる】という事態が起きた事があったからである（現在は此の項目（選択肢）は〝無い〟様である）。だが当時、此の様な世論調査に対して〝批判している〟人（特に首相を選出しているサイド）が、居なかった事が私には不思議でならなかった。そして此の事態に対する各界の政治評論に於いては、何かを発言する度に、其のフレーズ（句）を使う、其の代表的なモノが『国民は首相を信頼していない……』であった事を鮮明に覚えている。何かに付けて使用されていたのである。

▼私は、日本国民は其れで平気なのか、とか『どうしてそんな男をトップに選んでいるんだい？』と世界中が笑っているだろう、などとは言わない。そして、此の様な世論調査に対して、非難などする積りはない。私の目的は〝理屈の通った考え方〟が出来る人、又そうでない人に対する、解説であるからだ。まさしく〝理系の人〟なのである。其の考え方に立てば〝信頼が出来ない首相を日本国民が選択している状況〟は、世論調査が生み出している、と言えるではないか。先述の通り、他の対象、詰まり各政党に対しても〝信頼が出来ない〟という項目があったら、どういう結果が出たか無論其れは、解らない。但し私は、此れが公平でないなどと言っていない。唯、可

笑しい、とは言って置く。

▼〝論理〟として、対象を……《首相》一つだけに特定して〝信頼出来ない〟という〝選択項目から回答する〟方式を設け、結果として……【信頼出来ない首相】という印象の残る、結果を導き出す、世論調査の方法は、全く評価出来ないのである。首相の人柄に関して……、と題してはいるが、抑々政治に関する世論調査に於いて、首相に関する質問に（人柄）などという項目が〝必要である〟という主張が正当なのか、的確に説明出来るか。人気投票じゃあるまいしと批判が出ても可笑しくない。政治に関する世論調査で、首相に付いて問われるのは〝経済〟〝外交〟〝安保〟〝社会保障問題〟などなど一杯あろう。其処へ〝人柄〟を割り込ませた事に、何か強い意図を感じる人間は、私だけであろうか？

そして何故そういう構成になったのか、と問えば……、こういう答えを推測する。曰く『首相は〝個人〟であり、諸政党は複数の人の集まりである以上、〝人柄というのは〟当て嵌まらない』。又、首相に対してだけ此の設問〝信頼出来ない〟があり、諸政党には、無いという事に付いては、『政党に対しては、〝支持政党〟という設問だけで、〝支持しない〟という項目が無い。だから其の理由を問う〝信頼出来ない〟というのも無い！　のである』と。何とも苦しい言い訳だ。

〝首相は信頼出来ない人物だ〟となるお膳立ては既に、出来上がっていた!! 此の時の世論調査の組み立てから推論すると、そう断定出来る。無論国民には〝信頼出来ない〟という項目をスルーして、信頼出来るという選択も出来た。だが此処で〝理系の人〟の私は敢えて、結果がどうだったか、の予想はスルーして此の時の〝ヨロンチョーサノヒョーカ〟を次のように断定する。

【まるで、『首相だけが、信頼出来ない人物』であって『他の政党の議員達は、全て信頼出来る』という印象を持たせる世論調査は、極く不良品と言って良い】。

此の私の指摘に対して、異論が有れば聞きたいモノである。

唯私は、此の世論調査を行った、当時の一部メディアの意図は何か。其れを含めて言うが、当時の〝メディア〟は、正真正銘の〝文系の人〟である、と断定する。《但し、先述の〝お膳立て〟した人が居たとして其れは、含まない。日本の首相を自己の印象操作を以て意図的に貶めた、という悪辣な点で……》。抑々〝文系の人〟は、悪辣な人ではない。意味はもっと別な処に有るから。其処で〝文系の人〟と指摘した理由を簡単に言う。

〝信頼出来ない〟という選択肢を設けたのは、当時、世を騒然とさせた〝森友・加計学園〟問題があり、(此れに関して)、〝関与を疑っているだろう処の……〟国民に聞いた積りの筈であろう。

▼だが、だとすれば、《首相は信頼出来ない》、と回答した国民は〝其の件（モリ・カケ）に関してのみ〟という前提があった、という事になる。〝絶対にそうだ〟、と断言する。何故って若し、其の〝前提〟を否定するなら、《信頼出来ない首相》とは、首相が行っている、経済・外交・社会保障、其の他の諸問題の仕事に付いて、詰まり其の他の要素も全部ひっくるめて〝信頼出来ない〟人物である、と言ってる事を意味する。だったら、各事項に付いて〝いちいち〟首相が〝信頼出来ない〟などと指摘する事が不能の状態となっている、そんな〝世論調査〟を誰が支持出来るのか、という話である。設問は〝外交など諸問題に付いて〟は……（首相が）〝信頼出来ない〟という項目（選択肢）は設けていない。一方、何故、此の世論調査担当の人は、〝首相の人柄に関して〟という項目の他に、諸政党に付いても〝信頼出来るか〟、という意味の項目を設けなかったのか、と問われるべきだ。そうなると、此の結果に国民は納得しているのか？　疑問になって来る。多分、失礼乍ら国民の中にでも〝文系の人〟は存在する。だから其の方は含まずとも、多数の国民は納得しないのではないか。其れこそ〝世論調査の設問は的確か〟を問う為の、世論調査を実施したら良い。

▼又若し、【首相が『信頼出来ない』国民多数、という結果は何も〝モリ・カケ〟問

題に依るものとは言えない、全般的、に信頼出来ない、という結果ではないのか】と強弁する人が居るしたら、ラストの項で反論する。

其れは全く間違っている。モリ・カケ問題は【〝信頼出来ない〟という印象操作でしかない】、詰まり首相への疑念は〝真実ではなかった〟結果となったからである、と。

(世論調査を利用する) 野党議員の人達に付いて

私の指摘したかったのは〝無党派層〟や〝世論調査〟の悪口ではなく、此れに関する、メディアの人達(識者を含む)や国会議員の方々の考え方及び発言である。此の方達の殆どは此の〝支持政党無し層〟の存在を認めているどころか、寧ろ重要視している風潮があるからだ。又、〝無党派層〟の存在を取り上げ、此れを一つの根拠として(と言うより〝したい〟)政治に付いて、特に〝政権批判〟をしている評論家などの人達が展開しようとする政治談議の事である。但し私は、〝票の行方〟の予想など、選挙の結果を占う話に付き合う積りはない。現在の、国民の支持政党の分布を語る人に付いての話、をしたい。良く言われる『現在の国民の支持政党の各数字(%)では自民党が1強……他の党に差が付いているが但し、〝無党派層〟の強烈な存在を抜きにして語れない』という趣旨の発言である。私は其の事を、真面に言えば〝見当が違う〟、悪く言えば、〝可笑しい〟……〝文系の人〟である、と言うのだ。此の事は〝無党派層〟は【霧のような存在】だと理解すれば、解る話である。縮めて言えば〝無党派層〟は其の数（%）から、1強の自民党より上か、或いは同等の存在だ、と評価するのは間違い（錯覚）である。其れは先述の〝無党派層〟の実態を見れば解る。抑々〝無党派〟などと言うから誤解する。此の〝層〟は共通の意思を持ったグループではない。意思はバラバラの人達の只の〝塊〟なのだ。結論はもう出ている。〝無党派層〟は自民党に対抗する存在だ、というのは錯覚である。此の無党派層を更に正確に言うと『此の層の人達は選挙になると（過去の例から）〝何れかの党を支持する〟事になる。支持政党の分布はバラバラで予測出来ない。そして党の選択には（同じく過去の例から）自民党も含まれる（そうでなければ、自民党政権は敗退する。無党派層数＋現野党の支持数で、そうなる）』となり、自民党と双璧の存在とはならない、それゆえ〝錯覚〟と言った。

又、先の世論調査での〝首相は信頼出来ない〟が国民の声だ、とするならば、選挙に依って現実に、表現されている片方の〝国民の意志〟に付いては、どう思っているのか。現に〝首相が信頼出来ない〟と世論調査の結果が出た直後の選挙の結果が【安倍晋三総理】率いる自民党の大勝となっていた以上、既に此の点から、世論調査は、〝完璧に誤った情報〟だったではないか。国民は〝信頼出来ない〟人を又も首相として〝選出した！〟のだから……。此の矛盾から、そう断言する。

よく野党議員が用いる【国民の大多数（〇〇％）が此れに反対と言っている】などの国会での発言用法（今は流石に見るの止めたが、以前視聴していた国会のテレビ中継での質問は、必ず此の言葉から始まったモノだ）。そして其の国民の大多数が反対している〝例〟は、集団的自衛権容認の安保関連法案・特定秘密保護・原発再稼働・沖縄基地問題・消費増税・カジノ誘致、最近では、検察庁法案などなどだが、其の事から……言える事がある。其の、〝反対しているとする〟、【世論調査に依る国民の声】が正しく伝えられている、とするなら《多くの国民の反対する、其れら法案を掲げている安倍政権など……トックのとうに無くなって仕舞っている》筈ではないか。だが現実はそうなっていない……のである。先程の〝信頼出来ない首相〟の再選といい、此の世論調査と現実との〝食い違い〟は一体何処から来ているのか。評論家諸兄、一部メディア・一部野党議員ら諸氏は、此の事を一体、どの様に考えているのか？　私に言わせると、野党議員諸君は【スキャンダラスな話題、大臣の失言などの追及】のみでは、自己の支持率も上昇しない、此の営々と続く同じ事の繰り返しこそ、改善を図るべきとは考えないのか、と思う。

〝理系の人〟（シッコイ）の私は言う。此の方達は皆さん、全く以て、モノ事を感情的に捉えて考える人達だ、だから其の様な事が起きて仕舞う。まさに〝文系の人〟（シッコイ）ではないか。

実は此の〝食い違いの原因〟に付いて以前の私は、少々見当違いの意見を述べていた。賢明なる国民の皆さんは【安倍政権の】スキャンダル的な報道を受けての〝同調〟と〝政策に付いての考え〟とを、分けて発信している、と言っていたのだ。

だが然し、今はもっとハッキリ言う事が出来る。【世論調査での国民の声】は、スキャンダル的な報道を受けている時は、其れを感情的に捉えて発信する……まさしく〝文系的〟批判をしている。一方、選挙の時の国民の声、は国益を視野に（基調として）、其れを自己の主張・意見として表明する〝理系的（論理を基にした）〟モノとなる。詰まり国民は其れを見事に、分けて使っている！〝食い違い〟の原因はまさに其処にある。其れなのに評論家・識者・一部メディア・一部野党議員の人達は、完全に勘違いして居られる。まさに、国民の声を〝（感情的に）自分に都合の良い解釈〟で捉えて仕舞っている。中でも面白いのが、〝無党派層〟の票に付いて、識者らは〝自分が支持する政党〟へ投票される、又野党議員の方達は自分の党へ投票される、との願望があるらしい事だ。又、其れと似た様なモノに……〝投票所に行かない〟人達が若し、考えを変えて選挙に参加する様なら、其の浮動票は全部、我々のモノになる、との願望があるらしい事が、其の種の発言から解っている。

最近、私は偶然net上で佐藤卓巳氏の文を読んだ。要約すると『世論調査の声は、国民の意見分布でなく、〝感情レベル〟のモノだ』という（氏の発言に対する私の解釈は正確ではないとしても、そんなに間違っていないと思う）其の氏のお考えも、私の意見とほぼ同様である、と解って心強かった。

ところで、世論調査での設問には結構、問題のあるモノがある。例えば、現政権を〝支持する〟という、其の理由の選択肢に〝他よりマシだから〟という文言が設けてあった。其れを見て私は、思わず声を出して笑った。政権批判を常としている方の所業であろうが、『此処迄する？』と思った。私は現政権のシンパでも何でもない。

又、感情的な応援などしない。唯、物事を理性的・論理的に考え、其の結果、正しい評価が出来る、と思っている人間だ。だから、何で此の設問が必要なのか、此の設問を思い付いた其の方に、其の意図を聞きたいもの、と思った。恐らく〝積極的に支持している訳ではない〟との思いを持つ国民も居る、という発想だろうが、其れを言ってどうなのか、と思う。今の日本は、国民が〝仕様がなく選んだ〟政権によって、運営されている、とでも言いたいのか。【〝大して良くない〟大した事のない政権】という〝其の評価〟は他の場での議論で出尽くしている。何も世論調査の上で、此の質問を国民にする必要はない、と思うが如何であろう？〝日本の中では〟一等的確な政権である、と素直に認めたらヨイではないか。其れでなくてもメディアは政権批判が大好きな人々で溢れている、感がある。其処では〝ロクでもない政権〟との大合唱が連日見られるではないか。其れだけで十分だろう、と私は思うのだが……。

も一度、言って置くが私は、安倍晋三氏のシンパでも、自民党ベッタリの有権者でも全く無い。政治に関して、感情的に好き嫌いを、持ち合わせない。只、単に私は理論でモノ言う〝理系の人〟であり、選んだ今回のテーマが【無党派層】と【世論調査】【議員（特に野党）たち】の3つであり、其の行き着いた処が、其れらはみんな〝文系の人〟の考え方であったとした。そして結果として〝安倍晋三首相〟と自民党1強というモノのへの、正しい評価が表面に出た、というダケの事である。尚、正しい評価と言えば、現在の日本の〝信頼出来ない首相〟の〝他よりマシ〟と言われる政権は、経済でも安全保障の問題でも、今回のコロナ禍での対応に於いても、感情を交えないで見て、及第点を与えられるのではないのか、私はそう思うが、如何であろう？

も一つ〝世論調査を基にした〟国会での質問に纏わるオモシロイ（興味アルの意味）話がある。〝政府の説明が不足している〟を選択している国民が圧倒的に多い……。其れを前提に野党議員が『多くの国民が此の件で、政府は説明不足と言っている』と政府に噛み付く。……だが面白いのは其の後だ。野党議員は『国民は此の件に皆、反対している』！　私は思わず笑って仕舞った。何故って、横丁のご隠居さん風の口調で言えば、【説明不足というのは〝解らねぇよ〟という事じゃねぇのか？　じゃあ何故、反対するんだい？　何しろ皆さん、此の件の事は解ってねえんだから……〝反対も賛成もねえ筈だ〟じゃあ何かい？　国民の皆さんは自分が解んねえ問題に付いても反対出来る程、器用な人達なのかい？】となるからだ。私が、問題にするのは国民の皆さんではない。此の方達は私の味方であり、良き理解者である筈だ。問題は〝説明不足・反対提唱〟を一緒くたに纏めて、大真面目に、此の質問を続ける野党議員の人達である。まさに〝文系の人〟ではないか。

▼と、いう処で、最後にモリ・カケ問題の本質に触れる。私は、かつて世論調査で〝信頼出来ない〟という結果を与えられた、日本の安倍晋三首相に関し、其の信頼出来ないとされる前提がモリ・カケ問題にある、とした。

実は、私はかつてNHKの編集委員の方に対し、其の〝文芸春秋誌〟への記載文上で、モリ・カケ問題を以て、安倍首相に対する、言われ無き非難を記述した、其の公共放送の一員としての同人の責任を追及した事があった。故に此の件に関しては詳しい。だが無論時間も経過しているし、此の件にはもう誰も関心を持たない現状があるのかも知れない。唯、つい先頃、野党議員らが、此の件で自殺者が出た問題を取り上げる場面も有るにはあった。

で、首相が信頼出来ない、件だが、一等最初に言って置く事がある。其れは、此の件はまさしく典型的な〝文系の人〟の考え方の見本として提供出来る題材、にピッタリだという事である。此れが言いたかった。では説明する。森友・加計学園問題とは、当時の首相安倍晋三氏の夫人が関係のある森友学園、及び首相の友人が理事長である加計学園の……其々が持つ案件（土地売買・学部新設認定など）に於いて、其の当事者に有利となるべく、首相が指示或いは周辺のモノが〝忖度〟したのではないか？　と延々2年以上も、安倍氏批判派の一部メディア及び一部野党らが難詰し続けた事件である。

そして安倍晋三氏は完璧に無実である……、私は断定出来る。（疑惑とされる）其の事実が無い……事の証明は至難である。だから二次的に『無いから』と言う他ない。そして此の場合『疑惑に当たる事実』、其れが全く出て来ない、という事実がある。『何時か出て来る』、などと言うのは社会では通用しない、ギャグにもならない。其処で私が、首相を難詰した人達を〝文系的な〟と言う其の特徴と根拠を指摘する。

私がわざわざ、難詰、と言ったのは、余人は此れを〝追及〟と言いたいだろうが、何か決定的な根拠が有れば……そう言えるが、決定的に無い以上、〝難詰〟詰まり非難、としか言えないのである。もう私は、此の事件の結論を言って仕舞った。決定的な事実、其れを全く出さなかった（出せなかった）、無かったからだとはっきり言える。其の事実とは【〝森友〟では、土地売買交渉の際に〝学園に有利となる様な〟指示を首相が行った文章、指示を聞いたという証言者、発言のボイスレコードなどの物証】【〝加計〟で言えば、学部新設の決定の際の議論に首相の関与・指示のあった事実又、其れを証言する者】などを言う。

只、感情的に一国の首相を大勢で難詰する、まさしく奇形と言って良い〝文系の人〟の集まりが起こした途轍も無い、安倍首相にとっては大迷惑な事件であった。私は此の時には、日本は不幸だなあ、と思ったモノだ。

重ねて言うが、〝理系の人〟の私が、日本の首相は完璧に無実、と言った其の〝論拠〟は、『〝疑惑〟の根拠となる事実・証拠が全く示されない事実！』を基にしたモノである。で、ある以上、世論調査に依って出された日本の首相が〝信頼出来ない〟人物、という結果が間違いだった、という証明になったであろう。反論があれば出されると良い、議論するのは歓迎である。蛇足だが、肝心の渦中の人、森友学園の前・理事長夫妻は既に自身の間違いだった事を告白している事実がある。首相無実の完璧な証拠の一つではないか。

▼余談になるが……、首相の夫人が校長であったとか、親しく話をしていたとか、又、秘書が其の地元の関係者と面談したとか、一方……、何十年来の親友だったとか、一緒にパーティをし、ワインを飲み交わす写真を以て、其の疑惑の根拠とする、まるで小学生レベルのイジメの時に用いる〝因縁付け〟みたいなハナシではないか。此処迄来ると、〝文系の人〟の発想は笑っちゃうしかない。

マジな話……、若し其の調子でそんな追及？　する事が可能なら、日本国では首相の親友、という人は政府の〝認可の必要な事業〟を始める事が出来ない、事態となる。又は、親友である事を〝隠していなければ〟其の事業は出来ない。此れって〝憲法違反〟ではないのか？　〝文系の人〟の人達って、そんな〝罪作り〟か、其れとも若しかして、お笑いタレントも顔負けのギャグの天才かも知れない。

対抗的に当方も〝文系的に……、感情的に言う〟ならば、其れら（土地売買の交渉など）の実際の作業に於いて、一国の首相が直接関与する事態など、有り様がない。十重二十重（トエハタエ）に囲まれている、此れだけ多人数の組織の中で……。又、若し首相が其の様な指示を出したら、野党ではなく、寧ろ与党内から忽ち、暴露発言が飛び出す事、請け合いではないか。其れでなくっても公然と調査委員会の必要性を主張した与党議員、又、メディアに向かって、首相の更なる説明の必要性を唱えた与党議員が居た事実を以て、言っているのだ。所謂後ろから〝鉄砲を撃つ〟、というヤツである。与党議員全員で首相を庇い立てするなど到底アリ得ない話ではないか。此の事だけみても、誰もが解る話である。（つい、〝文系の人の様に〟感情的に口走って仕舞った）情けない！

尚、マジな事を言えば此の事件は、一国の首相を唯、夫人が知り合いだった、自身が親友であった事だけを基にして、細かいエピソードなどを掻き集めて〝怪しいという〟状況を演出し（感情的に）煽り立てていたモノである。此れら追及？側の人達の所業は犯罪的、とさえ言える。初めに述べた、例のＮＨＫの編集委員の人で言っても、自身が属する組織が、公共放送を謳い、自身が其の編集委員と称するなら、首相の疑惑を主題にした文章は、当然、取材・調査して事実を炙り出し国民に其の事を堂々と示すのがジャーナリストの使命であった筈だ。処が事実は全然逆、疑惑は寧ろ此の編集委員に有った。全然調査しない《同人の記述に首相の疑惑に付いての事実などが全く示されていない故に、そう言えるのだ（事実が無い以上、示せないのだが）》儘、他のメディアの情報のみを〝鵜呑み〟にして（パクッて）日本の首相を貶める文を書いていた、此の所業を私は、公共放送の一員として許せない、と断じたのである。私の文のテーマは〝理系・文系の人〟であり、政治問題の追及に無いのだが、此処ばかりは国民の一人として許せなかった。此の事だけは申し述べて置きたかった。

モリ・カケ問題の真相解明が目的でないにしても、此の事件は、世論調査の名を騙り、国民の声と称して、総意であるかの如く装い、一国の首相に対し、誤れる印象を与え続けたモノだ。まさに根拠を示さず、直接関係ない、些末なエピソードを以て、感情的な描写を散りばめて難詰し続けた〝文系の人〟の所業はユーモラスとは程遠いモノだ。此れが本事件の本質である。

先程の〝何時かは出て来る〟ではないが、〝疑惑がある〟だけで、〝騒ぎ続ける〟とすれば、此の事態は永久に終わらないではないか。

若し此の件が裁判になった、としたら早々に無罪判決が出る事、必至である。何故って証拠を一切提出せずに『怪しい』を言い続けるだけの裁判なら、そうなるに決まっているではないか。又、私が思うに安倍晋三、という方は裁判の事はおろか、名誉棄損に言及した、という話も聞いた事が無い。結構、大きい器だなあ、と思わせる、ヒトではある。あれだけ騒がれて、其の被った迷惑たるや、想像に絶するモノが有ったであろう。

もう語り尽くした。無論、細かい事を言えば、此の件での〝文系の人〟の発言例は山積している。だが別の機会に譲っておシマイとする。

死刑制度反対の理由に付いて

弁護士会の反対理由は〝文系の人〟の考えだ！

今回のテーマは死刑制度の事である。本来、私は死刑制度には〝賛成する〟立場である。だが然し、そうかといって、反対する人を尊重するは無論の事、況してや、貶したりしない。当然乍ら、人には其々の意見・主張及び思いも有ろうからである。そして今回の〝理系の人〟私の意見は、死刑制度への〝賛否〟其れ自体にはないから、賛成の立場からモノを言うのでもない。唯、単に、反対する方々の其の【〝理由〟に付いての考え方】に異論があるのだ。だから其れに付いて述べていきたい。も一つ言って置くが、若し死刑制度反対の人達の其の〝反対する理由〟が納得いくモノである、と解った時には、即座に私は〝賛成する〟立場を撤回する。其の積りである、当然である。

以前インターネットで知ったのだが日本には、日本弁護士連合会という団体があり、死刑制度に反対するとされていた。今回再びｎｅｔで見たら、同内容の趣旨が記載され、反対の理由及び考え方などを羅列して主張されている。唯、トップの個所に【島根県弁護士会】とはあるが、日本弁護士連合会の意向、と取れる記述もあるので、同一の趣旨であるとみて良いと思う。そして其の、島根県弁護士会は死刑制度反対の理由に付いて以下の様に述べている。だから以下に要点のみを転載し、其れらを参照しながら問題点を述べていく事にする。

（一等最初に申し上げるが、島根県弁護士会の此の文章は詳細にお読みになる必要はない。何故って、彼らの〝死刑制度に反対する意思〟は問題としていない。唯、反対する理由が私の言う〝理系の人〟の考えと合わない、だから取り上げている、従って、ざっと〝理由〟だけみて其れで了とされたい。）

島根県弁護士会の死刑制度への反対理由　要点

『文中の（）内の文は、私の付加したモノ』

1死刑は生命を剥奪する非人道的な刑罰である。

先ず、死刑は、生命を剥奪するという刑罰であり、重大かつ深刻な人権侵害である事に目を向けるべきである。即ち、生命は、日本国憲法に於いて『侵す事が出来ない永久の権利』とされる基本的人権の核であり、かつ基本人権を領有する人の根源其のものである。そして、死刑は、個人尊重の立場に立つ日本国憲法に於いて至高の法益である生命を剥奪してしまう非人道的な刑罰である事を、何よりも強く認識しなければならないのである。

2誤判、冤罪による死刑の現実的危険性がある。

（以下に過去の『冤罪による判決』の羅列がある）。

3死刑廃止は国際的趨勢である。廃止又は停止している国は１４２か国に上っている。

4国民世論に付いて

抑々死刑廃止は、人権の問題であり、世論だけで決めるべき問題ではない。世界の死刑廃止国の多くも、犯罪者といえども生命を奪う事は人権尊重の観点から許されないとの決着から、世論の多数を待たずに死刑廃止に踏み切った経緯がある。

5死刑の犯罪防止力は科学的に証明されていない。

6犯罪関係者・遺族らの支援、及び被害感情に付いて

犯罪により奪われた命は二度と戻る事は無い。こうした犯罪は決して許されず、犯罪により命を奪われた被害者の無念、そして犯罪により大切な人を失った遺族らの悲しみと苦痛は想像を絶するものであり、遺族らが罪を犯した者に対して極刑を望む事は当然の心情である。

又、言う迄もなく、犯罪を未然に防ぐ事は刑事司法だけでなく、教育や福祉を含めた社会全体で取り組むべき問題である。

（此の後、支援の必要性を述べている……）（そして）然し乍ら、こうした（被害者など、に対する）支援を充実させるべき事と、死刑制度を廃止する事は矛盾しない別個の重要な課題であり、分けて考えるべきである（と言ってもいる）。

7死刑制度は罪を犯した人の社会復帰を追求する共生社会と相容れない。

生まれ乍らの犯罪者はおらず、犯罪者となって仕舞った人の多くは、家庭、経済、教育、地域等に於ける様々な環境や差別が一因となって犯罪に至っている。そして、人は、時に人間性を失い残酷な罪を犯す事があっても、罪を悔いて変わり得る存在である事も、私達弁護士は刑事弁連の実践に於いて日々痛感する処である。

以上が箇条書きされた、其の理由の要点である。で、其の文の中から〝死刑制度の反対理由〟のみを更に要約して以下に挙げて置く。其れらは、1　死刑は生命剥奪の非人道的刑罰である。2　冤罪による死刑の危険性。3　死刑廃止は国際的趨勢である。4　国民世論で決めるべきではない。5　死刑の犯罪防止力は科学的に証明されていない。6（此の項では反対の理由は記載がない）。7　社会復帰を追求する共生社会と相容れない。

以上の6点の反対理由に付いて、私が其々に反論する。

1に付いて。

【生命は、日本国憲法に於いて『侵す事が出来ない永久の権利』とされる基本的人権の核であり、かつ基本人権を領有する人の根源其のものである。そして生命は個人尊重の立場に立つ日本国憲法に於いて至高の法益である。

死刑は、生命を剥奪する非人道的であり、重大かつ深刻な人権侵害である】。

上記の反対理由1、を要約すれば……

【生命は重大かつ貴重なモノで、其れを剥奪する、非人道的で人権侵害である〝死刑〟には反対である】となる。

対する私も要約して反論する。

【其の重大かつ貴重なモノである〝生命〟を〝剥奪した人間〟は、公正かつ正当な裁判の結果、至当な判決であるとされた時は、己れの〝生命〟を剥奪される刑罰に従う。此れが〝死刑〟制度である】。

依って『憲法で（侵す事の出来ない永久の権利）と保障されている』、〝其の生命〟を剥奪した乃至、其れ以上の大罪を犯した人間を対象としている故に、其処に瑕疵はない。

解説

反対の人達が言う、【貴重な生命の剥奪、人権侵害、憲法で保障される基本的人権の核・至高の法益である生命の剥奪】などなどは、言えば言う程……、『〝其れ程、貴重である〟一般市民の生命を剥奪した犯罪者に対する刑罰として、過酷とも思うが止むを得ず、死刑とするのは至当である』、という考えに到達する。

反対者の主張は要するに、『仮に、一般市民の人間の生命を剥奪したとしても、犯罪者の生命を剥奪する事は〝不可〟である、認められない』と言っているに過ぎない。極端に言えば『一般市民の生命よりも、犯罪者の生命は重大と考える』と言っている、と同じではないか。自分に都合のいい感情論である、と言って良い。まさに私が言う〝文系の人〟の主張である。

▼此処で、もっと重大なポイントを指摘する。

無学の私の言だが……、弁護士の会は、憲法上の（侵す事の出来ない永久の権利である、生命）とある条項を、『全ての人は〝何をしても〟生命は補償される』と解釈している様子だが若し、そうだとしたら『何を仰いますやら……』である。『そんなバカな話なんて、あるもんか』でもいい。話にならない。〝無学〟な私でも解る。

▼【無論、何をしてもの、〝何を〟とは（象徴的に、生命を奪っても……）の事である。其の他に考えられる〝何をしても〟を包括すると、範囲が広がるだけなので、此の際議論の対象から省く】。

私達国民は、社会に於いて〝犯罪を犯す〟様な人達とも、共存して生活をしている。ひょっとしたら命を奪われる様な危険な目に遭わないとも限らない。其の時、【何をしても、生命は剥奪されない】、法則が容認されたら、私達国民は間違いなく恐怖に駆られる。何故って言う迄も無い、凶悪犯の思う壺ではないか。殺人を犯しても生命（だけ）は保障される、此れ程犯罪者を勇気付けて仕舞う〝考え方〟は無いのではないか。《何をしても生命は保障される、事は犯罪抑止とは逆の方向となって仕舞う。だから其の又、逆の考え方、詰まり生命だって保障されない刑罰の存在は抑止力となる》のである。

繰り返し……〝生命は憲法で保障されている貴重な……〟と言うが、此の〝言い方〟は〝文系の人〟の特徴である。まるで【死刑】とは、《何でもかんでも、生命を剥奪する刑罰》という印象を人々に与えるではないか。其の〝印象を与える〟事が目的であったとしたら最低である。感情的に訴えるしか能が無い、と評されても仕方がない。此処でも私は〝文系の人〟と指摘する。無論印象目的などという事は、否定して欲しい。そして……此処はマジに、きちっと言う。

【死刑にする、には其処に前提がある。〝条件〟及び〝決定の過程〟の事である。先ず、〝何の罪も無く、何の落ち度もない〟一般市民の貴重な生命を〝正当な理由もなく〟剥奪した犯罪者を対象にするモノである。そして其の次に、其の犯罪者を如何に罰するか、其れが至当か否か、の議論がある。其の上、そうした凶悪な犯罪を防御するという社会的視点に立った思考がある。其の前提の上に、公正な裁判・至当な判断（判決）を経て、決定されるモノである】。だから〝簡単に、貴重な生命を剥奪している〟などという印象を持たせる主張などは、感情的、と言うより、〝良くない〟表現であると言わざるを得ない。

▼私に言わせれば……、同じ反対するにしても【自己が疑問に思う〝判決〟を対象に『不当だ！』『間違いだ』と声を挙げる】のなら、〝理系の人〟の私は、其の疑問を主張する事には賛成する。裁判の判決に付いて議論するのは、犯罪抑止の観点からも意義がある、と思うからだ。

此処で結論を述べる。死刑を反対する其の理由、1は、犯罪者の貴重な〝憲法で保障されている生命、基本的人権〟を侵害すると、死刑を非難している。

だが其の犯罪者が剥奪した、市民の貴重な生命に付いて何の言及がない。此の論調は弁護士として、如何なモノか。

出発点に犯罪抑止としての死刑の必要か否かの議論をして欲しかった。私が此の点に異論があるのと、推測だが、暗に【国家には、犯罪者の生命を絶つ、という権利はない】と主張されているのかとも思って仕舞う。だが若しそうだとすれば、其れは間違っている。国家は其の権利を有している。法に依って、である。

無論、死刑を残酷だ、非人道的だという感情を持つ事は自由だが、其れと此れは、別モノである。別の議論である。別に私は法律を学んだりしていない、元より無学である。だが其の私でも此の事は理解出来る。よく言われる事に『法律で禁じられている殺人、其れを死刑の名の基に国家が〝殺人を犯す〟とは矛盾である』などと実（マコト）しやかに言う人が居る。嗤う他ない。抑々殆ど個人が不可能とされる事を出来るのが法律ではないのか。例えば〝お巡りさん〟である。必要があれば、強制的に人を尋問出来る。法の基でだから、である。若し先述の事で言えば、刑の執行として、刑務所で犯罪者を拘束している実際がある。此の事に付いても矛盾する、のか。此の懲役（刑罰）に付いては殆どの人は認めているのではないか。だが、法律では人を拘束する事は罪である、とされている。ならば、『法律で禁じている殺人を……、』などと言う人は何故、其の〝懲役〟に付いては非難しないのか。故に、此の1に挙げてある、理由を以て、死刑に反対とする事には、理論的に納得が出来ない。此処で結論とする。

2に付いて。

若し其の有罪と確定された、裁判が、〝冤罪〟であったら、犯罪者の生命は取り戻す事が出来ない。冤罪の可能性を否定出来ない、死刑制度は反対である。

此れが〝理由〟の骨子と思う。では反論する。〝冤罪〟とは《瑕疵即ち、過ち・ミスなどに依って起こる》罪、である。私は此の【冤罪を〝理由とする〟】主張の本質は、『世の中に有る《過ち・(判断ミス)・事故》など〝予期せずして、人間が犯す瑕疵〟に対して、死刑という制度に限っては許されない』としている点にある、と受け止める。蛇足乍ら逆に言うと、死刑制度を反対とする人は、通常の所業に付いて、起こり得る瑕疵に対しては〝了〟とされている、と受け止めて良い事になる。此の点に付いての意見は後刻述べる事とする。

反対する人は多分【死刑に対してにのみ特別(ミスが許されない)とするのには、確定されたら絶対に、生命を奪われる以上、冤罪であったら絶対取り返しが付かない、と言えるからだ】と説明されるだろう。其の説明を受けて私は考える。

そして縮めて結論を言う。此の事は『何の罪も無く、何の落ち度も無い、一般市民の〝取り返しの付かない命〟を理不尽な理由で奪った犯罪者の裁判に於いてでも、適用するのが正しいのか。其れを論理とされるのか』と、問われるべきモノである。

読者の方は、此処迄読んできて、『成る程！』と思われたか或いは『何だい、詰まらない事言いやがって！』と思われたかも知れない。だが、如何でしょう？　若し、『結構オモシロイ視点で冤罪というモノを捉えているなあ』と思って下さったら、其れが〝理系の人〟か〝文系の人〟の考え方の違いですよ……。私は、其れが言いたいのである。……そうなのである、其れが私の作文の特徴である。

解り易く言う。死刑は若し、冤罪だったら〝取り返しが付かない〟、というのは一つの〝論理〟ではある。だが然し、『命は〝無くなったら元には戻せない！〟だから絶対に死刑など許される筈が無い、〝当たり前だ〟』と言っている死刑反対の人達、実は……、感情でモノを言う〝文系の人〟であって、言っている事が実は〝論理的ではない〟のである。其の理由を述べる。

▼社会に於いて、全てのモノ事には何らかの瑕疵、詰まり過ち・判断ミス・事故などが付き纏っている。全ての事象に〝完全なモノ・絶対〟なんてない、と言い切って良い。《但し人間の作ったゲーム、例えば〝囲碁・将棋〟など、此のルールの中に於い

ては〝絶対〟はあるだろう。将棋の〝王手！〟となっての〝詰み〟は〝絶対〟である。又、人間が作った数学上の〝解〟にも其れはある。２×２の解は〝絶対〟４だ》。だが其れ以外で、例えば宇宙体系での恒星・衛星らに付いても、絶対に○○とは言えない、唯、或る確率の下で其れらは〝正常に〟動いているのだそうである、（此の話題は得意でない〝選んで仕舞ってから失敗に気付く！〟）だが其れ程、絶対なんてモノはない、と言いたかった。

さて其処で、此の世に無い其の〝絶対〟を《死刑に付いてのみ》、要求する事が〝論理的に正しい〟のか否か、が問われて来る。蛇足だが、死刑に〝絶対を要求する〟事は、【死刑を正当とするには、其の判決に冤罪が〝絶対に無い〟事を条件とする】という意味になるからである。其処で……此れは所詮、感情的な〝文系の人〟の主張でしかない、と言い放つ〝理系の人〟の出番である。

例えば航空機、此の業界に対して、〝絶対に事故が〟あっては……、〝落ちては〟ならない、という要求が為されたら、業界はストップするしか無い。電車・車に付いても然りである。其れらの事業には【生命が失われる事故の可能性がある】事は誰もが承知している。絶対に事故は起こさない又、起きない、など『可能ではない』と考えているのではないか。〝絶対に事故は無い〟……其れを望んだら人々は車に乗れない。

其の他あらゆる所業・事業に付いても然りである。肝心の裁判にだって、〝絶対〟に冤罪（間違い・判断ミスなど）の無い事を要求されたら裁判其のモノを開く事が出来ないではないか。無論ミス・過ち・事故があって良いと言っていない。無論、其れらを起こさない為の努力は要求されるべきモノである。社会は、其の上で其れらを利用し、事業も成り立っている。そしてそんな事は弁護士会の方達も、百も承知の事であろう。

唯、彼らの〝頼りにする処〟は、死刑は……、冤罪だったら〝絶対に〟生命が奪われる、故に絶対に〝冤罪は許されない〟という点にあるのだろう。

其の点、航空機などの其の他の所業は〝絶対に生命が無くなる〟とは言い切れない、故に〝過ちの判断も絶対許されない〟とは、言い切れないから【死刑とは異なる】と言いたいのであろう。だが然し逆に、其の程度の理屈でしかないモノを、〝反対の理由〟としている、とも言えるのである。現に私は以前だが、此の〝冤罪を理由に〟【死刑は絶対に許されない】と、息巻いていた元自民党のエライ議員の方を知っている。私が或る文章で、此の方を【東大出身の優秀な方が此の様な理由で……】と揶揄したモノだ。此の方を始め、大勢の方が大マジメに此の〝冤罪を理由とした〟意見を吐いて居られるのをみて、此の方達を論破しなければ……。と思って来た。其処で其の間違いを指摘する為、例を一つ挙げて説明をする。

警官は凶悪犯に立ち向かう為の道具として拳銃を所持している。で、警官が其の凶悪犯罪者と思しき人物と揉み合って身の危険（相手が凶器を持っていたなどで……）を感じたので、拳銃を発射しようとする場面を想定して欲しい。
▼正当防衛の事である。現在の社会では許されている、とみて良いのではないか。正当防衛に付いて私は、深い知識を持ち合わせない。だが此処は、其の詳細の知識は必要ない。唯、社会に存在するモノ、との認識が有りさえすれば宜しい、と思う。此処で問題となるのは、警官が拳銃を発射する前に、撃たなければ自分は殺される、とする〝判断〟が正当なモノか否かである。だが其の結果は後から出る、其の前ではない。そして当然乍ら、判断にはミス即ち、間違いもあろう。良いか悪いかは別である。唯、社会に於いて絶対に瑕疵が無い、事など有り得ない。
だから〝判断ミスがあったら取り返しが付かない事〟を理由に、正当防衛行為を最初から〝禁止〟したら、犯罪は防げない、又警官は〝殺されても仕方ない〟事になって仕舞う。

故に『正当防衛行為』に付いて、前以て〝其れ〟を判断する事自体を、【間違いを許さない（〝冤罪を許さない〟と同義）】として《禁止する事は、間違いだ》、此れが

〝理系の人〟私が述べる論理である。

尚、警官の正当防衛の話と、死刑に於ける冤罪の話と何の関係があるのか、と問う、〝論理を理解されない文系の人〟は、此の場合、まさか居られまい。

▼死刑制度は社会の犯罪防衛即ち抑止目的の為に存在する。何も【人を殺す為にある制度ではない】。人間社会は自己が、生命を剥奪されると判断した時の、正当防衛の行使は、結果が〝間違い・判断ミス〟で、たとえ其の為に、他の生命が失われる事態が起きたとしても、許容される。そうでなければ、社会に於いて〝ミス・過ち〟で起きた〝人命喪失事故〟などは全部【死刑（パラドックス含みのギャグ）】になって仕舞うではないか。其の行為が故意であったか否かは厳正に検証された結果、断定される。そうでなければ、社会は凶悪な犯罪に対抗出来ない。其の事は【社会に於ける緒事業は（間違い・判断ミス・事故）が〝絶対に無い事〟を前提にしては成り立たない】とする考えと、完璧に同意義である、と思う。

▼確かに、生命は無くなったら元には戻せない故に、死刑は冤罪が起きたら絶対、被害者は救われない。此の〝被害者〟とは無論冤罪を被った人の事である。『此の事のみ』は事実であり、論理でもあろう。だが其の事【冤罪で命が奪われる事は大変な事である】にばかり気を奪われるが故に、もっと大事な視点が欠如している。視野を広

げて思考する必要があると述べている。理解頂く為に、も一つ例を挙げて説明する。

他でもない。テロ集団に人質に取られた人を救う為に金銭を支払う、事が是か非かというテーマである。以前、元首相の福田さんが『人の命は地球より重い』と言ったという、有名な《日本赤軍ハイジャック事件》があった。但し詳細を私は知らない。だが〝私の考え方〟を説明する例であるから詳細は此の際、必要ない。【此の時テロ集団に脅されて命と引き換えに金銭を渡す、という決定が正しい】とする事が、絶対か、という点を考えたい。
▼此の事件の主題と、死刑の〝冤罪〟との関係だが、実は事の本質は同じである。何故って其れが、『どの様な場合でも、〝人の命は失ってはならない〟との観念に捉われて結論付ける事が、正しいか否か』を問うているからである。人の〝命が絶対〟として『金銭を支払う』とする考えと、たとえ命が奪われても『金銭は支払わない』という決定とでは『何方が正しいか』という判断は実情が其々違う故に絶対の答えは出ない、であろう。但し〝理系の人〟の私は、此の問いに際しても【冤罪だったら、生命が奪われるから、死刑は〝絶対〟ダメだ、との主張は絶対正しい、とは言えない】此れと同様である、とハッキリ言う。
其れを証明するのが、上記のテロ事件での〝判断〟（金銭を支払った事）が必ずし

も正解、と言えない点にある。其の時の人質の生命は救えても、其の〝支払った〟結果が、テロ集団が益々増長して勢力を強める事を助長する。其の結果又、多数の人質を取る手法で、多数の生命が失われる事に繋がった、としたら何とする。其の事態に対しても、『絶対正しかった』と言えるのか。金を支払う事が『地球より重い』モノだなどとは到底言えないではないのか。〝冤罪〟の事でも、其の理由で死刑が廃止されて『冤罪に依る生命は救われても』、死刑が無くなって凶悪犯が〝市民の生命を剥奪する事件が増えた〟としたら、其れが絶対正しかった、と言えるのか。

▼実は私は、私の此の論理が解る人が〝理系の人〟である、と評価する。但し誤解しないで欲しい。死刑制度の〝是か非か〟といった視点のみを以て発言していない。〝考え方〟に付いて指摘している。

此れを『何を寝言、言っているのか』とバカにする人の考え方も自由だが、私は其の人を〝文系の人〟としか思えない。其の〝論理〟の話は、次の例題に持ち越したい。

も一つの例。《トロッコ問題》と題した有名な話だ。5人を救う為に1人を殺すのは〝正義〟か、という話だ。此の話も詳細はどうでも宜しい。端的に言って5人を救うのに1人を犠牲にして正義は成り立つか、此の話では『正義は、数で決められるのか』など色々と言われてる様だ。だが私は、此の話で〝正義を語る〟のは見当違い、と思っている〝理系の人〟だ。多分或る人達には、私の話は通用しない、と思う。誤解しないで欲しいが、別に思想の問題ではない。左とか、右とかいう話ではないのだ。考え方の問題である。〝理系の人〟の話を〝文系の人〟が解るか否かであるとさえ、思っている。不遜と思われるだろうが、私は自信を以て述べている。『冤罪があるから死刑は絶対に有ってはならない』、と言う所謂〝東大出の〟識者の言う論理に、〝無学〟だが〝理系の人〟の私が真っ向から述べる。1を殺して5を取る、という話は有り得る、然も論理的に、と思っている。

我々は、何としても生き残らねばならない。そう思う国民が集まって形成している社会・国家に於いて、究極の事態になった事迄をも、想定しての話なのだ、と。私は此の事例に付いて〝さも、偉そうに〟……考える。トロッコの話などの、矮小な事象として捉えていない……のだと、大マジメに言う。

で、究極の事態とは無論、戦争状態の事も含む。今回のコロナ禍も其の一つと言える。多分、〝文系の人〟は全く同意しないであろう。『トロッコと？　戦争と？　何突拍子もねえ事言ってるんじゃねえ』と言われるかも知れない。私に一つ、いや二つ示す事がある。つい3、4日前、私が事例とする其の事態は起きた。一つ目は【河野太郎防衛相の発言から、例の〝イージスアショア〟の採用が見送りになった件】。二つ目は【安倍政権の〝攻撃型積極防衛論（此の名称は不確かである）に対する批判として沖縄基地問題を取り上げた件】である。二つ共に詳細な情報はない。だが私の指摘は〝考え方〟にあるから、詳しい事は知らなくてよい。此の二つの事例には共通するモノがある。〝個の生命〟と〝衆の生命〟に付いて何れが重要なのかという、問題を孕んでいる点である。簡単に言うと、1件目の〝イージスアショア〟は防衛ミサイルの発射時に使う《ブースター》と呼ばれる補助装置があるそうだが、其れが落下する時、其の場所を正確に誘導出来ない、という技術的な欠陥が見付かった。其れが中止の理由だそうである。此のニュースを聞いて私は思わず言った。『そんなバカな！』。又2件目は此の安倍政権の安保上の政策に批判的な姿勢を以てか、TBSの番組でキャスター（氏名は不詳）が沖縄基地の問題を取り上げ『沖縄の県民の皆さんは……』と現地で声を張り上げていた。此の詳細説明も不要と思う。問題は二つの事例が先述した【〝テロの人質〟と〝トロッコ問題〟】と全く同質の課題なのだ、と其れが言いたかった。一つ目で言えば「国家防衛の為というが、打ち上げたブースターが民家に落下したら、どうするのか？」という主張と、一方、二つ目は基地の重要性と、沖縄の県民の方の迷惑（其れは種々指摘されている）との対比で行われる主張である。だが此処で『どちらが正義なのか』答えを出すのが私の趣旨ではない。先に述べた〝個の生命〟と〝衆の生命〟との簡単な比較でモノを言うのは難しいだろう。だが個の生命への視点に捉われ過ぎて『其れが絶対である』という発想が正しいとは言えない、と私は言いたかったのである。私は政治的な問題への発言でも〝理系か〟〝文系か〟で分けるという立場である。だから此の事例の場合でも自己主張が偏りたくはない、という考えである。

唯、個の生命を殺して衆を取る事も有り得ると言うだけに留める。

そして『第一、其の様な時に、誰が其の重要な決定をするのか？』そう問われたらこう答える。

『無論討議の上、最終的には国のトップである。日本で言えば総理大臣であろう』

……さて、此の事を以て、2に付いての反論は終了とする。

3に付いて。

【死刑廃止は国際的趨勢である。廃止又は停止している国は142か国に上っている】とある。だから日本も其れに従うべきだ、とでも言うのだろうか。だが待って下さいよ。国際的趨勢、だから『死刑は廃止』であると、〝堂々と〟【反対の理由にする】！　此の神経が解らない。私の反論は以下のモノである。

『大勢の、みんなが反対と言っているから、日本もそうするべきだ』と聞かされたら〝理系の人〟の私は、こう問い掛ける。『大勢の、みんなは其の反対の理由は〝具体的に何だ〟と言っているの？』……。

其の【理由とする内容が解らない限り】日本が其の事で、従う事は有り得ない。今私は其の、死刑反対の弁護士会の〝理由に付いて〟論議している。『みんなが言っているから』、では議論にならない。其れではまるで『同調圧力』ではないか。（〝無学〟の私、此の同調圧力という言葉は最近覚えた！）【議論・論理が使命の弁護士の方の主張とは到底思えない】などとは決して言わない……。

だが、此れが〝反論〟である。

4に付いて。

【人権の問題故に、世論（多数）だけで、決める事ではない】と言っているが、誠に都合が良すぎる。理由の3に於いて『多数の国が反対と言っている』事を其の理由に押し出した、其の同じ人とは思えない、矛盾した主張だからである。其れに（私は記載を省いていたが……）必ずしも大多数の世論が賛成している訳でもない、などと

〝負け惜しみ〟【〝世論のみで決めるモノではない〟、と言いながら〝必ずしも大多数では無い〟】とは嗤える程のムジュン、する言い方をされている。とても弁護士の方の言とも思えない。そして此処でも此の論法では『議論にならない。反論する気にもならない』とだけ申し上げて置く。但し此れだけは言って置いた方が良いかも知れない。

無論私も先述の通り、『世論は重要である。だが〝何も解らない人〟の意見は聞かなくても良い』という考え方を持つ。だが、此処は世論の事よりも〝肝心の反対の方達の〟廃止しろ、と言う其の理由が【論理的に納得のいくモノ】である事か否かが、最も重要である。其れが今回、私が取り上げたテーマであるから。

5に付いて。
【死刑の犯罪防止力は科学的に証明されていない】とある。
反論する。科学的に証明されていない、とはどの様なデータ及び情報でそう言っているのか、解っていないが、私は、其れを論点としなくて宜しい、と言い置く。此の【死刑反対理由に付いて】の議論に於いて、そんな証明など必要ないのである。弁護士会の論理の立て方に問題がある。何度も言うが全く以て、〝文系の人〟其のモノの主張だからである。何故って同会は、理由其の1及び2に於いて、死刑の非人道的、人権侵害其の他、死刑が持つ【酷さ】に付いて、散々言及して来た。抑々防止力（抑止力）、とは一口に言って【其れをされるのが一等、イヤなモノ、其れを持つ力の事】であろう？【其の悪事をしたら、こういう酷い事になるぞ。だから止めて置きなさい！】という事柄であろう？　だから、其の事柄が防止する力になる、其れが抑止力である。釈迦に説法、今更言う必要も無い。非人道的なモノだ・人権無視だ！　と言えば言う程【死刑】は強烈に抑止力となる筈ではないか。若し抑止力にならない、という意味で先程の『科学的に証明されていない』などと言ってるとしたら、マコトに論理的に可笑しい、弁護士の方とも思えない（度々言うとは申し訳ない）。も一つ言う。【では、抑止力とならないと言うなら、他に〝死刑に勝る抑止力となる〟刑罰を考慮しているのですか？】。若し、そうでなければ、弁護士会は、余りにも感情的に過ぎる、まさに〝文系の人〟ではないかと、つい言って仕舞う。

尚しつこく言うと……、死刑反対の人の〝最高の厳罰は無期懲役〟であろう。ならば〝無期懲役刑が抑止力になる〟という科学的根拠をお持ちですか？。

▼先述したが、私は別に、死刑制度の賛否に付いて述べていない。あく迄も死刑反対の其の理由に付いての異論を述べている。此の【死刑の犯罪防止力は科学的に証明さ

れていない】の言い方では、感情的に過ぎる。


6に付いて。

此の項では、死刑制度に反対の弁は無い。

そして擁護する意味で指摘するが、犯罪防止の点に付いて及び遺族らの被害感情に付いてなど、述べてはいる。


7に付いて。

(死刑制度は罪を犯した人の社会復帰を追求する共生社会と相容れない)。

死刑に反対する人の主張の本質は、如何なる〝究極の罪を犯した〟人間でも〝生命は剥奪されるべきではない〟であるから、7の項の主張も、生命を剥奪されたら失われる、社会復帰の権利も絶対不可欠のモノ、となるのであろう。

だが其れでは唯、同様の議論が繰り返されるだけではないのか。

最重罰(死刑)が至当、とした被告に対し【其の生命を剥奪する】としている。だから死刑に依って【社会復帰も不能となる】事も(同様に)至当とされる。其れは論理ではないか。

反対理由1の項にて其の事は散々、指摘した。此れ以上は必要ないと思う。若し其れが理解されない、となれば、弁護士の資格も疑わしい、とまで言って置く。〝文系の人〟を超えている。

▼其れでも尚、丁寧な説明を望むなら申し上げても良い。

究極の大罪を犯した被告（犯罪者）は、日本の公正な裁判に於いて、慎重に審理され、（三審制）などを経た結果、其の刑罰が該当すると判断（判決）された時、初めて死刑が確定する。其れが死刑制度、というモノである。度々言うが〝無学な〟私でも此の裁判の態様は理解している。そして死刑制度上では、【〝死刑判決を出された人〟は社会復帰が望めない事態を甘受せざるを得ない】のであって【〝死刑判決を出されなかった人〟は社会復帰を望める立場に置かれる】のである。

▼判決次第なのである。だから其の〝判決に異論があれば〟、そう主張すれば宜しい。だから死刑を否定する人の、〝如何なる罪を犯しても、生命は奪われない〟との主張は感情的な議論でしかない、と〝理系の人〟の私は言うのである。

続けて書かれている【生まれ乍らの犯罪者はおらず、犯罪者となって仕舞った人の多くは、家庭、経済、教育、地域等に於ける様々な環境や差別が一因となって犯罪に至っている。そして、人は、時に人間性を失い残酷な罪を犯す事があっても、罪を悔いて変わり得る存在である事も、私達弁護士は刑事弁連の実践に於いて日々痛感する処である】という文に対しても私は、唯、【其れら諸事情は、裁判の中で慎重に審理された上で、若し認められれば、死刑とはならず其れに見合った刑罰の判決を受ける、という事であり、逆に認められず、死刑が至当と判断されれば『生命を剥奪する〝死刑〟』に処される、という事である】と言うのみである。そして其れが論理、というモノではないか。

以上を以て、1~7までの各項に付いての、私の反論を終える。

最後に〝纏め〟を述べる事も出来るが、既に言い尽くした感があり、割愛する。

原発反対を主張する人達へ

私は、此の主張をしている人達の、〝原発再稼働反対の理由〟に付いて異論がある。原発其のモノに付いての議論ではない。例に依って〝理由〟が感情的である即ち、論理的でない点に〝理系の人〟がモノ申している。そして主張している理由が【事故が起きたら危険な目に遭うから……】である点。此れは到底承服出来るモノではない。〝理系の人〟の私なら、当然である。此の理由は感情的に過ぎる。私にとって、論理を欠いた議論程、有り難いモノは無い。何故って直ぐに論破出来てオイシイからである《此の言い方は我乍ら恥ずかしい……》。

既に死刑反対の人達が【冤罪だったら大変な事になる】事を、主な理由の一つに挙げている事と酷似している。で、結論を述べる。【事故が起きたら】という理由でストップさせる事が可能なら、此の社会に於けるあらゆる事業は成り立たない。勿論、現実に其の様な理由で其れら事業はストップさせられてはいない。死刑反対の人への、私の理論で既に述べている。詰まり此の理由で反対する人達は【論理ではなく、感情的に反対している】だけなのである。

此処迄お読み頂いている読者の方達が、此の〝私の出した結論〟を読んで『もうハナシは終わりではないか』、と思われたらタイヘン、である。商売アガッたりである。だから此処は少々念を入れて説明させて頂きたい。丁度、【コロナ問題でのテレビタレントやコメンテーターの人達の様に『手の消毒を確実に行ってさえすればコロナは防げる』と簡単に言われて仕舞うと、ハナシが終わっちゃう。だから〝ＰＣＲ検査〟とか〝陽性率〟とか種々並べて延々と喋っている】あれと同じ状態に置かれている？

のである（此れは悪い冗談である……）。

さて、社会の緒事業には【瑕疵詰まり事故・判断ミス・間違い】は付きモノである。〝絶対〟というモノは無い。無論其れらが起きない様に努力する事は必要である。此の事は死刑・冤罪の項で散々述べたから、此れ以上の事は、省略する。唯一つだけ……、事故が起きたら大変だからダメ、と言ったら〝移動手段の主役〟は江戸時代の【駕籠】の話をしたい。アレでは、事故は起きないだろうから。但し〝駕籠〟を基準レベルにしたら無論、現代社会の経済状況は〝絶対〟どん底になる。平均寿命も江戸時代と現在とでは半分以下ではないか。詰まり其の〝事故敵視〟の主張こそ逆に、生命は重要視されていない、という理屈になって仕舞う。

だから事故は絶対起きてはならない、と言って原発に反対する人達の〝理由〟は、論理が破綻して成り立たない、とも言える。感情以外の何モノでもない。其の事に気付かずに唯、反対している。其れに此の方達が『命が失われるなど、事故が起きたら大変……』と言うなら何故【車・電車・航空機】などに対して同じ事を言わないのか？『ストップしろ！』と。其の様な事を要求した、話を一度も聞かない。誠に都合が良過ぎるではないか。

意地悪く言えば皆さんは『そんな〝危険な〟乗り物や他の設備・事業を日頃から、

平気で使用し続けているのですよ』となるではないか。

▼多分其の人達は『事故のスケールが違うのだ』だから車・電車・航空機の事故と原発の事故では〝いざ起きたら〟其の被害の大きさがモンダイ無く違う、と言うのであろう。だが此れに付いても〝理系の人〟私が、論理を以て反論する。『事故のスケールが違うから同等に語るべきではない』への反論を〝纏めると〟以下の様になる。【危険度は〝事故のスケールの大きさ〟で測り、比較検討されるべきである】。

で、其の事を主張する人に先ず、私はこう説明する。『〝事故のスケール〟に対しては〝制御のスケール〟も比例して強化される。社会は其の仕組みで動いている〝筈〟である』。〝筈〟と言ったのは〝私がそう考えて言う〟からである。でも此の事は、こう言えば簡単に、理解されるだろう。『駕籠には、ブレーキは無い。だけど車には有る』。……そうであります、駕籠と車とではスケールが違う。〝社会の仕組み〟と言ったのは【其の〝制御の性能〟を強化する事によって事故の危険性《即ちスケール》に対処している】事を意味する。蛇足だが、一旦、事故が起きると〝原発と車ではスケールが違う〟。だからこそ、【制御の性能への要求度も〝原発〟と〝車〟は其のスケールに応じて、比例して強くなる】強靭なモノが要求される。此の説明で〝文系の人〟でも理解される事と思う。

も一つ〝自慢そうに〟言う……。スケールで言えば、原発は其の社会に与えるメリットのスケールも〝でっかいモノ〟が有る。俗にスケールメリットと言われるモノが有る。無論『規模の大きい事から来るメリット』の意味だが、私は敢えて其の事を『〝寄与のスケールの大きさ〟から来るメリット』と訳したい。『無学の人間が偉そうに勝手な事を……』と言われそうだが、其れは本質であろう。

原発は其の発電量（1基当たり100万kwアワー）に於いて群を抜いていると聞く。蛇足で言うと、事故のスケールの大きい事から、其れはデメリットとなるが、良い面を言えば発電量のスケールの大きい事は当然メリットである。

〝制御〟繋がりで、言うと（悪口だが……）福島原発事故の時の総理大臣が『もう原発は制御不能だ……』と言った事を新聞で知った。【〝制御不能〟などと言う事自体が『原発を理解していない』事を露呈している】。今回の事故の究明（事故原因などの）されたのは後刻だから、其の場での咄嗟の判断が難しいのは解る。だが其れを割引きしても〝制御不能〟なんて《口走って仕舞う》のは許されない。

【原発は制御される、だから許可されている】。今回も制御されたからこそ運転がstopしているではないか。《理解しない儘、感情的に発言する》まさに、〝文系の人〟の見本だ！　と当時私は叫んだモノだ。聞く処に依ると、同総理は〝理系〟の大学出身だそうな。此れも大問題だ！　だが私に言わせると、大学が問題なんじゃない。考え方が問題なのである。原発事故の解明他に当たるべきリーダーが〝原発が如何に制御されているか〟ご存知無いとは恐れ入るしかない、と思った事を記憶している。【原発の運転は、イザという時、制御されるのである】。原発を〝危険だ・危険だ〟と言う方達は多分、原発を原子爆弾即ち、〝原爆〟と勘違いされているのではないか。但し私は原発と原爆の違いに付いて技術的な説明はしない。無論netで調べれば直ぐに解る事だが、目的は其処にない。唯一点だけ言い置く。原爆と原発とでは燃料のウランに大きな違いがある。〝原爆〟は燃料ウラン235の割合を100％に迄濃縮させ、そして爆発が目的である事。一方原発はウラン235は3～5％と非常に少ない割合であり、少しずつ分裂させていく。だから原発内で爆発が起きる事は無い、と言われる。此処の処が解っていて、反対するなら未だしも（多分）あの広島・長崎の原爆の爆発を想定して、危険だ！　危険だ！　と言い募るのでは感情的、と言わざるを得ない。〝理系の人〟の私は冷静である。だが、お前だって【よく解って言ってるのか】と言われれば、ｎｏである。そんなに詳しい訳もない。だが私には解っている事がある。論理でモノを考える時に私が良く言う【ポイント】だが、其れが先述した通り〝制御〟の事である。〝制御〟詰まり車で言えば、ブレーキである。通常、特に危険物を扱う事業は許可制であり、規定・条件が付加されている、其の事である。車で言えば衝突の危険に付いては【車をストップさせる事が出来るブレーキ】が有る事が許可の条件になってる筈である。此の際、難しい話は不要である。原発に付いても危険が有れば〝制御出来るモノ〟を用意する事が条件としてある筈だ。事実、其の事は既に私は、以前調べたから理解している。原発で危険な事と言えば、原子炉内での〝核爆発〟の事だが、万一、其れの起きる兆候が出たら、【制御棒《ホウ素（中性子を吸収し易い物質）を含む》が差し込まれ、核分裂の連鎖反応をstopさせる即ち、原発は停止する事が出来る】のである。事実、福島の第1原発は事故の時、其れで停止している。

無論私が訳もなく言うのではない。netなどで調べた。お疑いの方は調べると良い。そして私は思ったのだが、簡単に言うと凡そ、世界中の原発は此の〝制御が出来る事〟で許可され成り立っている、筈だと思う。も一つ言うと、福島の事故は防げなかったモノではない。実際には、其の核爆発の兆候が出た際の、非常用冷却水タンクの位置が高台にあれば、津波が避けられ、事故が防げたと……、此れ又、調べれば解る事である。〝福島第2原発が無事故であった〟事実が其れを証明している。私の言いたい事は、原発は絶対危険である、と言う人達が原発の再稼働をさせない様にしている、其の理由が【事故が起きたら危険、という】感情的なモノだからである。此れは〝理系の人〟の私は看過出来ない。別に私は原発の必要性の強調・賛成の立場とかでモノを言っていない。論理を欠いた〝理由〟で反対している人達の感情的な主張が、日本社会を支配している、此の現状を嗤っている、のである。〝文系の人〟の集まりだ、と。

念の為、言って置く。まさか、『其の制御棒が正常に作動しなかったら、どうするのか?』とは言わないであろう? 其れ言ったら例の【冤罪の時の人達と同じ】になっちゃう! 其れ言ったら此の社会での諸事業は全部ダメだからネ……。

▼此処で〝理系の人〟の私から……事故が起きたら危険だから……を前面に出して反対を唱える人達には、重大な欠陥がある事を指摘して置く。

先に要点だけ言う。『其の主張をする人は、重大な病気に罹った時、自己の家族も含めて、自分は手術を受ける事が出来ない!』事を認識して置くべきである。

詰まり『〝事故が起きたら大変だから〟と言う人は全ての事柄に〝100%絶対瑕疵が無い〟事を要求している人』とみて良い。だから、医療従事者に其れを要求しても俗に言う【インフォームドコンセント】に依って、手術を拒否される、結果となる。故に手術は受けられない。何処か他の【100%安全な手術が出来る】病院を探す事になる。其の先、どうなるかなどという事はどうでも宜しい、述べる必要がない。唯、今の手術の事を少し説明すると、通常、手術を受ける前には、インフォームドコンセントを示されて承認の印鑑を求められる。其れが前提で手術が行われる。内容は『万全の注意を以て手術を致しますが、大体そんなモノである。〇〇％の確率でミスもある。其れを承知の上で手術を受けます』と、大体そんなモノである。要は１００％安全ではないですよ、其れを承知して下さい、というモノである。蛇足だが『１００％でないと嫌です』と言う人は『手術出来ません』と言われる。

まさに私が先刻からシツコイ程に言っている【絶対、瑕疵詰まりミスが無い事を要求したら社会の事象は一歩も前に進めない】実例として出している。

〝理系の人〟私の唱える『〝理論の無い即ち、モノを科学的に考えないで、感情的に出される意見〟には納得する事が出来ない』という極めて、実際的な考え……、其の参考として頂きたいのである。

▼尚、〝絶対〟を要求すれば、生活をするのに支障がある。其れは解るが、社会には〝危険とか、心配される事〟が無数にあるのは確かだ。では一体どういう考えを以て生活したら良いのだろうか。此の問いがあったとすれば、私の出す答え、其れは【確率を基にして考える】である。そして事実私はそう遣って生きて来ている。私だっ

て、若し自動車事故に遭ったらどうするか？　などと〝絶対考えない〟訳でもない。だが、そんな時どう結論付けるか。『車の事故に遭ったら其の時は其の時、シャアナイではないか』である。但しだから、である。絶対注意は怠らない。（尚、車事故死亡数は年間３２００人にまで落ちて来ているらしい）、ひと頃は５０００人だったと聞く。

▼此の確率の話を用いて先程の質問者への説明と、【原発の危険である事を理由に反対している人達】の意見への反論とする。確率から言えば、原発で死亡した人の数は２人である故に、原発が始動してから50年以上経過しているから、大雑把に言って〝重大な事故（過小な事故は起きただろう……）〟は50年に1回、死亡者数は50年に２人（其れも直接原発に依るモノではない、言わば人災と言えるモノだそうだ……）。事故死の確率は原発は【年に０・０４人】である。年間３２００人の自動車事故の死者とは比較する事自体が恐ろしい。紹介するが実は、あの航空機の方が車よりも安全である、というデータがあると聞く。世の中の物事は解らないモノである。

だが、車事故と原発の事故に付いては、感情的な意見の持ち主にとっては〝絶対〟別、とされるだろう。其の一つが『確率と言ったって、〝恐ろしい事故が〟明日起きないとは言えない』という考えである。無論其の通りである。

誰も明日起きない、などとは言えない。50年に1度の原発事故を『たった今、起きたから50年後に起きる』、なんてバカな事も言わない。だが確率とは、明日（未来の事）を予言するモノではない。過去に起きた事実を基に……【未来に於いて其の事が起きる可能性】の事を言うのである。故に、『明日起きないと誰が言えるのか、だから原発は廃止すべきである』と言う人に申し上げる。

『若し明日起きないとは言えない』と強調する人には、〝貴方に付いても〟【明日、自動車事故に遭わない、とは言えない】という〝理由で〟明日は自動車に乗っては〝絶対×不可〟という主張が適用されるべきだ……となるではないか。

其の事は全ての緒事象に、当て嵌まる事ではないか。此れは決して屁理屈ではない、論理なのである。

此処で一つ、笑っちゃう話をする。無論原発絡みである。ずっと以前だが国会で（当時の）民主党だったか、面白い名前の議員が原発反対の立場から質問した。『隕石が落下したらどうするのか？』……私が此の〝件〟を思い出したのは今朝の新聞の記事に『月誕生の定説見直しか』との見出しで【地球の半分位の小天体が衝突して出来たのが月だった】とあった、のを読んだからである。何が言いたいのか？　其れは此の議員の言う通り隕石が絶対落下して来ない、とは言えないだろう。だが其れを言うなら、此の地球の半分位の物体が落下して来る事も、無いとは言えないではないか(其の時は日本など無くなって仕舞うかも知れない)。其れと、此の議員の言い分だと、丁度原発の上に隕石が落下するらしい。其れに《言い返す私の嫌味!》は『隕石は、なんで貴方の家に落ちないの?』原発の上に落ちるとしてもみんな、貴方の想像力の産物でしょう?　未来の事は誰も判らない!　其の「見本」を貴方は提示した!という話である。

其れから、心配で堪らないと言う人には其の確率を基にして『余りに心配し過ぎないよう、又細心の注意を払って生活して下さい』と言うしかないのである。

▼此処で指摘して置きたい事が有る。其れは〝文系の人〟は自分の主張が正しい、と思い込むからか、中々自説を曲げない、傾向があると思う。此の指摘は〝文系な〟モノなのだが、敢えて言いたい。其れは〝原発反対派の集会でよく、みられた〟からである。怒号、ヤジなどで発言が妨げられる事、屡々(しばしば)であった事を覚えている。此れでは議論も何もあったモノでない。(此れ以上は控えるが)日本の国にとって、正しい姿でないと言って置く。

▼世の中の事は全て【明日は、何が起こるか解らない!】。世界中の人間はミンナ、全員がそんな《不確定な状況下で生きている》、のである。全ての〝文系の人〟にご

理解頂きたい理論なのである。自分だけは其の他に置かれる（該当する）存在、なんてまさか、思わないであろう。況してや、原発に対しても【例外などとせずに】同じ様に考えるべきなのである。

〝理系の人〟の私は考えてみた。実は殆どの人は（無意識であろうが）、各自の生活は確率の下に、動いているのだなあ、と。一等解り易い例が、自分が転んで怪我をする確率である。何時も無意識に歩いている筈の貴方も、自分が転ぶ確率の事を考えて見て下さい。そしたら滅多に無い事ではあるが、絶対に『無い』とは言えないだろう。だから其処で確率を考えれば、答えは出る。無論本当に計算するのではない。そういう【考え】の上で生活している、という事が理解出来れば良い、という話である。クドイ様だが此の事を〝原発の問題〟に当て嵌めてみれば、更に理解出来るのではないか。何時起きるか、もそうだし「明日起きるかも知れない、だから怖い」などと言うのは〝無駄〟とは言わない迄も、余り意味が無い事が解って来るであろう。其れを理解すれば、【〝事故の確率の低い〟原発に対してだけ、『〝怖い〟〝危険だ〟などと感情的な事で』反対だ、廃止しろと主張する】事が如何に〝ご都合主義で、納得されないモノ〟であるか、例を挙げて申し上げた。反対派の皆様がご理解頂けたら誠に幸いである。

▼あと一点、原発反対の人達が『放射性物質の最終処理が出来ない。廃棄場所が無い』事を理由にしている事を聞いている。放射性廃棄物の中でも大部分は汚染水などの低レベル廃棄物で、其れ程厳重な管理は必要ない、とされるのをご存知であろうか。リスクが大きいのは《使用済み燃料棒などの高レベル廃棄物》であるそうだ。此れをどう処理・処分するか、の問題である。此の『廃棄物処分が困難であるから反対』とするのが、妥当か否か。技術的な説明は必要ない、と思う。

現在と言うより10年位前から、廃棄物を処理する技術的能力（ガラス固化体など）は十分だそうだ。疑問に思う方は調査すれば宜しい……、とは何回も使った言い方だ。でも其の通りなのである。netで直ぐに解るのだ。だから其処はスルーする。私の反論は『廃棄物の処理場に逼迫している』と言う人達の考え方、にある。以前此れも元首相であった方の発言だが『原発の廃棄物処理・処理場問題の解決、の難解さ、私は此れでもう、原発はダメだと思ったネ』（其の趣旨だけを引用している）此の発言などは〝文系の人〟のお手本だ、と思った。此の方が原発の事を良く理解されていない、様子を〝良く理解した〟。日本に於ける処理方法の技術的能力の事は既に述べた。要は処理場の事である。無論私は日本国内の事情……、又、ひと頃フランスに運んで最終処理しているのも理解している。

だが一口に言って『処分する場所が無いなどと、（其れを理由に）原発其のモノに反対する』……、其の感情的な【全く、論理を欠いた】発言は、到底受け入れられない、と〝理系の人〟私は、言うのである。特に先述の元首相の方は現役の時は当然〝原発推進〟の立場であった筈。其れがひと度、事故が起きた途端に〝理論的でない理由で〟反対である、などと言い出す其の精神状態が理解出来ない。

良く考えて頂きたい。【場所が無い】のではなく【受け入れて呉れる人】が居ない、と言うべきではないか。であれば残る問題は、其の【場所の選択】と同時に【〝其の場所の関係者〟の理解を得る努力】の問題ではないか。狭いとはいえ日本に場所が無いなどと言うのは感情論で、論理的でない。世界に視線を向けていけば場所の選択肢は広がる（現にフランスがそうである）。絶対に無理である、とか言えない。こんな事を日本の首相であった方に向かって、〝述べなければならない〟事の方が〝問題〟である。原発の問題というと、何か難しいモノと思い勝ちだが、実は簡単な考え方にて、解ける話なのである。此れを理解頂いた処で、此の件は終わりとする。

〝文系の人〟の発言……、個別の事例集

〝理系〟の私、自慢じゃないが女の人に縁がない。話をしている時、熱が入ると『其れって論理的じゃないな、本質は其処にない』なんて口走って仕舞う。すると何時の間にか相手は居なくなっている。又出逢っても視線を合わせようとしない、トホホっ。だけどそんな私でも、たまに（ホンとに稀だッ）……イイ事を言う又、良い指摘をした時もある。褒められた事もチョッピリだがある。ツイッターでイイネを呉れたヒトも何人か居る。其処で……最後になるが、世の中に存在する著名人の、特に〝文系の人〟の発言を個別に集め、披露する〝バラエティショウ〟、此れをお目に掛けたい。人のアラ探し……、此れ程楽しく、ワクワクするものは無い！　但し人の発言のミス集め、と言ってもあく迄も私なりの〝基準〟がある。其れは此れ迄散々指摘して来た、私独特の〝理系の人〟〝文系の人〟での基準である。決して単なる〝言い間違いの類ではない〟（例えば麻生太郎氏の〝ミゾウユウ〟とかの……）。そして〝理系

の人〟の発言には文句のツケ様がない。だから無論、〝文系の人〟の『感情的でロジックの無い』発言を主にして捉え、肴にして〝血祭りに上げる〟のである。此の作業の、何と心地良く、嬉しき事よ！

では、何はともあれ、早速始める。

（例として挙げる時、前回までは個人名は伏せた儘述べて来たが……今回は実名を挙げて指摘させて頂く事をお断りする）。

小池百合子さん

大分古い話ではあるが、此の方が都知事になられて直ぐの、例の〝豊洲市場への移転問題〟の時の発言が印象に残っている。但し然程、大それた発言でもない。其れは同市場に対する【安全基準の話】である。但し此処で私が言うのは其の【基準値に付いての問題点】ではない。問題点、と言えば当時、同市場の例えば〝盛り土〟の件などでメディアはワイワイ騒いだものだ（フジテレビのMC小倉さんの〝非常口発言〟などオモシロ印象に残った。氏は何と『何か欠陥が有るから、非常口作ったんでショ?』って言ってた。氏は〝非常口〟の事を〝手抜き工事の逃げ道〟と解してた様だ……。あとフジTV繋がりで、笠井さん、工事の話ではなく選挙でのモノ言い……、〝自民党の圧勝という記事〟……に対し『自民党は今回、議席を減らしている、圧勝じゃないだろう』と言い放った。圧勝というのは〝相手に対して言う〟言葉だ。［自己の議席を減らしても、相手を圧倒して勝ったから圧勝だ］、という記事だ。そんな事解れヨって話である……オット脱線した！　元に戻す……）。

当時の豊洲市場の地下水は、検査の推移から〝問題なく安全〟と私は知っていたから、其の〝基準値と検査〟に対する小池都知事の考え方を今回、取り上げている。基準値をチョットだけ解り易く、紹介すると【豊洲市場の地下水の安全基準は……毎日2リットルの水を70年間飲み続けると、１４０人に１人の割合で癌に罹災する】というモノである。此の基準の〝物凄い厳しさ〟には恐れ入るしかない。

だが私は、小池知事の発言に都民として納得がいかなかった。氏は『安全とは知っても、安心が出来ない、そんな都民の心情に私は寄り添う……』（例により、言葉の正確性に自信は無い。だが「安全と安心とは別モノ」と言う氏の主旨は確実である）。都知事は言い切った。『安全ではあっても安心出来ない』。だが、此れは看過出来ない。《当時私は、議論する気も起きない位バカバカしい、詭弁にもならない、と怒っていた》。だが敢えて此処で言及する。抑々〝安全〟とは（科学的なデータなどで……）、裏付けられた（価値付けられた）モノと言って良い。一方〝安心〟とは其の

〝安全〟を知った上で得られる人の感情である。此れも〝そう言って良い〟だろう。態々私が念を押すのは小池都知事に向かっての言葉だからである。例を挙げる迄も無いが（念を入れて）〝筋金入り……文系の人〟に言う事にする。曰く、『若し貴女が、自分自身が病気では？ と心配して病院に行ったとして、医師から「検査の結果から、貴女の身体は異常無しです」と言われたらどうします？』。まさか『安全とは解りましたが、安心出来ないのです』などと言うのだろうか？ もう答えは出ている。此れが〝理系の人〟が指摘する〝文系の人〟の感情的な意見なのである。都知事は【其の様な都民の〝無理筋の〟心情に向き合い……、正しき解釈を理解させる】のが務めであろう。

序でに、致命的な事を言う。此の安全でも安心出来ない水は【地下水であって、〝飲み水〟では無い!! 都民は飲まない……多分】。

蓮舫さん

今や、有名になった、例の『2位じゃダメなんですか？』に付いて指摘する。

此の発言には、色んな方面から批判があった様だが、所謂〝同志からは〟寧ろ評価されているのではないのか。私の想定では蓮舫さんの主旨は『（どういった方面の業態かは知らないが……）其の中で……、そんなに頑張らなくてもイイんじゃない？』といった程度のモノだったのではないか。だから「1位がイケナイと言うのか」など と批判するのは案外見当違いなのかも知れないのである。だが此の話は、どの〝業態に付いて〟にしろ〝競争の話〟であろう。だから此処で解り易くオモシロク私が説明する。抑々人は競争する時……、【1位という目標は、其の位置を狙う、のではなく〝目指す〟のである。だから、競争する時、最初から（私は1位よ、私は3位にするわ）って話ではない】のである。此の言葉尻を捉えれば〝笑える話〟にはなる。誰も、最初から、丁度〝1位〟或いは〝3位〟、などと決められる訳が無い。誰もが1位を目指して競争し、其の結果が、1位・2位・3位……と決まる。だから其の点で『2位じゃダメなんですか？』と言ったのは〝滑稽〟、なのである。こんな細かい説明は誰もしなかっただろう。だが私は、其れでも蓮舫さんは、政治家として『（彼女の発言の主旨がそうであったとしても……）そんなに頑張らなくても……』という意向は受け入れられない話と思う。矢張り世界を相手に『日本は〝1位を目指して〟頑張らなければダメなんじゃないか』。たとえ其の結果が〝2位だった〟としても……。但し此処は、其れを議論するのが趣旨ではない、飽く迄も蓮舫さんの〝文系の人〟らしい発言だ、という事……、訳もなく唯、単にウッカリ発言した、という事だ。

別に同氏を貶める積りもない。少し揶揄ってみた……、という話である。

石破茂さん

今騒がれている自民党の某議員の選挙違反（買収）事件で、石破茂自民党元幹事長が発言した。『票を金で買うという民主主義の否定に等しい行為だ……』。

私は、選挙違反の件に付いてではなく、此の石破茂氏の発言に付いてまさしく、〝文系の人〟のモノだなあ、と揶揄ってみたくなった。遠慮なく……。無論〝単なる思い違い〟であろうが、此処は指摘して置きたい。何しろ、アラ探しだから……。〝理系の人〟の私は言う。『（選挙での）票を金で買う行為は【別に〝民主主義の否定〟に非ず……】、寧ろ肯定の上での行為である』と。

此の買収行為は法律違反であろう。故に、其れを言うなら『法律の否定である』とでも言えば良かった。石破さんの、民主主義を〝感覚的に捉えて〟の発言なのか。だとしたら、石破さんは立派な〝文系の人〟だ。

民主主義の対義語が全体主義或いは封建主義であるなら、其れらの国では選挙は行われないのか？　又は形式的なモノであるのか。ならば其れが民主主義の否定であろう。だが日本国に於いて、彼ら夫妻は否定していないからこそ、其の〝民主主義に於いて〟、選挙の作戦上、買収行為を行った。私は本件に付いては詳しくない。だが、票を金で買うと評される〝買収行為〟を民主主義の否定とは捉えない。彼ら夫妻は、有権者に対し『自分に投票せよ』と強制した訳もないであろう。唯、誘惑したのだ。そして相手も拒否をする事は出来た……、だが〝しないで〟（誘惑に負けて）金を受け取った。取引は成立していたのだ。此の点に於いて有権者は強制されず、自由であった。無論事の正否は別である。選挙違反は悪いに決まっている。私も偉そうに言う積りはない。だが結論をもう一度言う。

【此の件の場合、当然有権者は誰に投票するか、選択の自由を持っている。彼ら夫妻は、強制したのではなく、金で誘惑した。だから、其れは民主主義の否定ではない】。だが私の趣旨は、石破さんの〝文系の人〟発言の揶揄である。聞けば、石破茂自民党元幹事長は論客だそうである。恐れ多い。だが其れでも〝理系の人〟私は容赦が無い。恐らく石破元幹事長は、民主主義は公正なる選挙が行われなければならない、其れに反する行為は【民主主義の否定】に当たる、という感覚で捉えているのであろう？　だが〝理系的に〟言う（学も無い癖に……）と、《民主主義の根本原理は多数決に代表される、其の象徴的なモノが選挙であろう》。

民主主義は正義とは直接、関係ない。民主主義で国民が、常に正義を行うとは限らない。ギリシャ、英国国民の全体意思は必ずしも正解、とは言えないモノが有った。良き事も悪しき事も、多数決で出される答えが、民主主義での結果であろう。買収行為は其れ自体は（犯罪）悪い事、正義ではない。だが、民主主義を否定したモノではない。

選挙は公職選挙法上のルールを以て行われる。其処で、票を買う行為は《若し、強制的（脅すなどして）な行為が伴っていたら》（辛うじて……）民主主義の否定とは言えるかも知れない（私は此の点、自信が無い）（抑々金を出す時点で〝強制的〟というのが成り立たないが……）。

一つオモシロイ、質問をしたい。『選挙で「都民には毎月、特別交付金10万円、続けて10万円支給するッ」と煽る演説は《民主主義の否定》となりませんか？』無論冗談である。

石破元幹事長は此の【強制】という点が、思考からヌケたのではないか？【金を出す＝屈服させる】という図式をアタマに描いて仕舞った……。悪く言えば頓珍漢、な評論である。つい〝理系の人〟目線で指摘して仕舞った。石破さん、失礼しました！

福島瑞穂さん

大分古い話である。私が此の方を知ったのはテレビである（番組名は忘れている）。番組の内容は〝死刑に付いて〟で、其れが『是か非か』であったと思う。同番組にゲスト出演していで今回は、福島さんの其の番組での発言を取り上げた。福島瑞穂参院議員はこう仰った。『犯罪者は2人殺した〝死刑反対の立場で居られる〟福島瑞穂参院議員はこう仰った。

大分古い話である。私が此の方を知ったのはテレビである（番組名は忘れている）。番組の内容は〝死刑に付いて〟で、其れが『是か非か』であったと思う。同番組にゲスト出演していた〝死刑反対の立場で居られる〟福島瑞穂参院議員はこう仰った。『犯罪者は2人殺したら死刑であるなら、更にもう何人も殺しますよ』と。録画・録音してはいない以上、正確な文言ではないかも知れないが、主旨を私は鮮明に覚えている。確かにそう仰った。【2人殺して死刑なら〝更にもっと、殺す気になる〟】何という言葉か。〝文系〟と言うより無茶苦茶、と言った方が良い。死刑に反対する余りに出た〝無茶振り〟発言である。確かに其の様な〝自暴自棄の〟犯罪者が絶対居ないとは、言えないが、所詮無理筋の主張である。自身の反対論が通らない雰囲気が有ったからか、〝負け惜しみ〟と言っても良い。福島さんの理不尽さを攻撃するより、揶揄する方が正解ではないか。

【極少の例を以て全体を語る】よくある手だ。『私の隣家の人なんか〝美味しい！美味しい〟って、4つも5つも食べたよ』って話で騙して、〝鯛焼き〟など売り捲る、〝買え買え詐欺〟（そんな言葉知らないが……）ではないか！　私が驚いたのは此の福島さんという方が、後から知ったのだが《東大法学部出身の弁護士さん》だった、という事だ。又、此の死刑反対の人達の〝文系〟ぶりには驚かされる事が多い。今述べた【極少の例を以て全体を語る】も一つの例が『死刑など抑止力にならない。何故って命を奪われる事など屁とも思わない……からだ』、と主張する話だ。誰もが『命などチットも惜しくない』などと言う筈もない。極く僅かの、例えば自殺願望の人にとっては、そりゃ『命は惜しくない』だろう。其の〝極少の例〟を持ち出して堂々発言する。まさに〝買え買え詐欺〟と同様だ、という話である。

安倍晋三総理大臣を非難するテレビキャスターさん

今年の6月某日テレビ局（フジテレビだったと思う）キャスター2人が、例の自民党の某議員の選挙違反に付いて『任命者の私が深くお詫びする』と言った安倍総理大臣に対して、『唯、謝罪する。何時も乍らの此の発言には〝うそ寒い思い〟しかない。どう責任を取るのか、言っていない』2人のキャスターの発言主旨は同様に、以上のモノであった。此れを〝文系の人〟発言である、と断言する〝理系の人〟の反論は以下の通りである。

【結論から言う。《唯、謝罪する……、私は其れで宜しい、と思う》。

「唯、謝罪する、では満足しない。どう責任を取るか、具体的に言ってみろ」というのが2人の言いたい事であろう。だとしたら、貴方達は首相がどう言えば、満足出来たのか……、逆に聞きたい。明快に言える〝責任の取り方〟などあるのか？　と。多分無いのではないのか。「だからせめて、今後選挙違反の防止に付いて、対策を如何する、とか説明があって然るべき……」、とでも言うのだろうか。

でもたとえ〝安倍首相が其う言ったとしても〟其れは其れで又、結局お2人は満足しないのではないか。『当たり前の事言うな』などと……。

責任の取り方……、無論考えられる事を言えば、先ず一に、《首相辞任》である。

次は首相の議員報酬の減額であろうか。私は〝此れを議論する〟事自体が無駄だと思う。理由は例えば、首相辞任の説だが……、其れを、絶対無いとは言わないが、先ず現実的でない、と思う。此の選挙違反という〝不祥事を起こした議員〟の任命責任を取って、首相が辞任するのが（当の安倍晋三氏が申し出たとしても……）〝正しい事〟か否か、正解が出るとしたら、相当の議論が有るだろう。

政権批判のサイドと政権側との議論。私は此の件での首相辞任というのは、日本国にとって正解か否か、の視点が必要だ、と思っている。

結局此の2人は安倍さんがキライなのではないか。『うそ寒い……』あの言い方に其れが滲み出ていた感がある。だが別に私は、安倍さんが嫌いだという人を非難なんかしない。唯、キライな余りに感情的になって、理屈にならない事を言う、例えば『叩き斬っちゃる!』などと口走る様な〝文系の人〟発言をピックアップして持論を述べている。無論、私の此の発言自体〝文系の人〟のモノだ。解っている。だが敢えて言う。考えてみて、凡そ安倍さんという方に、経済・外交・社会保障の問題等々、政策上での大欠陥は見当たらない、というのが私の見立てである。無論私の此の指摘に、安倍嫌い（じゃなかった）、安倍政権反対派陣営は猛反発するだろう。だが彼らの言い募る、安倍さんの欠陥は（文春ネタに代表される）スキャンダラスなものばかり（例の黒川検事長の事件含む）、政策上のファクターでないモノを以て安倍反対派は其れを『失態』として追及している即ち政策論争ではないのだ。で、其れならと彼らは、習近平中国国家主席の国賓としての招聘問題を指摘するであろう。だが此れを以て失態、とは中々言い難いのではないか。大所高所からの視点で議論すべきであり、私には無理だから……此れ以上述べる事は不能であるが……。序でに言うと《拉致問題の解決》《北方領土4島の返還》があるが、ならず者国家を相手の此の問題も、安倍さんの所為にするのは無理だ。

そうすると私の指摘通り安倍さんには大欠陥が無い、となって仕舞う。無論ミス

（小さいもの）はある。其の主なモノが人事であろう。不祥事を起こす配下議員ら（結構な数だ、とは思う）、此の任命責任を問えば無論ミスである。だが安倍さんが一等悔悟の念（大失敗だった！　と）でいる筈である。心の中で「あ奴め！」と思っているのではないか。私は、此れらの問題を安倍首相自身のミス（責任）或いは指導不足などとするのに無理がある、と思っている。あと〝桜を見る会〟だが、此れも又、安倍さん一人の責任、と言うには無理がある。安倍さんが一存でスッパリ中止とするべきだった、というのは〝後付け〟の批判ではないか。私は此れら（文春ネタ）を取り上げて追及する一部野党他、安倍反対派の一部メディアは、詰まる処、安倍政権に〝大欠点が無い〟故に、真面な政策論争が出来ないから、（自分らに安倍政権に対抗する政策上の案などが無い事から来る……）焦燥感からか又は苦し紛れで、安倍批判を行っているに過ぎない、と思っている。誰も真正面から論議出来ていない、国会での論議を見ていてつくづくそう思う。だが其の結果、『感情的に憎み、反動としてマスマス安倍嫌いも多くなる』。田原総一朗さんという方がいる。此の方先日、ＳＮＳで『支持率36％（もっと低かったか?）安倍即退陣だ！』などと書き込んでいる。私吃驚した。何の根拠も示さずに〝退陣しろ〟！　此れは極端な〝文系だ〟！　私、以前ファンだった頃もあった。『野党がダラシないから……』が口癖だった。まさか安倍さんを退陣させて其のダラシない野党に政権を任せる、などと言うのだろうか。今はトチ狂っているとしか、見えない。何が彼をそうさせるのか。解らない。又良く言われるテレビの【ワイドショー番組の偏向報道】だが、此れには〝理系の人〟私は意見がない。

端から〝相手にしない〟というのもあるが、バラエティ番組は【不倫騒動などの週刊誌ネタ】を取り上げていればよいモノを政治問題を取り上げるから、トドの詰まり〝偏向〟に走って仕舞う、そうする事が『カッコいい』『視聴率が取れる』との錯覚があるのではないのか。又、不思議なのは、正面切って安倍さんを褒める人が少ない、況してや日本の主要メディア上では殆どない事だ。だが此れだけ長く務めている人に《良い処が一つも無い》とされている事自体、私は不思議な思いで見ている。安倍さんが余程嫌いなんだろうなあ、日本の皆さん、と。

さて、其処で結論である。私は安倍晋三首相は唯、謝罪する事が寧ろ正しい、とする。其処には深い意味がある。此の件で、一等深い悔悟の気持ちでいるのが、安倍首相自身と、思われる以上、此れからの彼の遣る事（政策実行）を見守る（監視すると言っても良い）、此れに尽きる、と思う。此れが私の反論である】。

『世論が、世論が、』と言う人

国会の議論の中で或いは、メディア上のコメンテーターらの発言に『其れでは世論が納得しない』『其れは世論が認めない』『説明不足と世論が言っている』など、世論が……を連発する人が居て気になる。〝文系の人〟などと言う前に、一等姑息で卑怯な言い方である、と思う。自信が無い事がバレバレではないか。

何故、『〝私が〟認めない……〝私は〟納得しない』と言えないのだろう。何故世論の所為にしたがるのか。自己の意見を主張する場であろう。唯単に、世論即ち、国民の声の代弁であるなら、テレビ局のアナウンサー又は、キャスターで良い。コメンテーターなど要らない。国会でいうなら議員の存在意義はない。だがこう結論付けると話は終わっちゃう。で、続けると、議論の時に『私は斯く思う。貴方の意見は如何に？』と言った後に『因みに、世論はこう言っている』とでも言うのなら、未だマシであるものを……。

私ははっきりと言う。世論調査には欠陥がある。私は2番目のテーマの中で、〝世論調査の持つイカガわしさ〟を指摘した。だから世論調査を基にして議論を展開する人の気が知れない。特に野党議員の中にそういう人が結構数多くみられる。何せ一等最初に言えるのが例の【〝世論調査結果〟と〝選挙結果〟との乖離】である。世論調査での数値で考えたら、安倍政権などトックのトウに〝無くなっている筈である〟とは既に述べており、そして現政権が〝無くなっていない〟（どころか却って、野党の勢力が衰退している）現実がある。では一体原因が何処にあるのか、と疑問も呈している。私は、実は世論調査の設問に問題があるのだ、と提起したい、とも既に述べている。だがつい先日、ＮＨＫのニュースで世論調査の結果を放映していた。其れに依ると『安倍政権の支持率は36％で一方、不支持率は49％となっている』と言っている。だが私は其処は問題としない。問題は此の後にあった。例の選挙違反の問題に付いて設問を設けている。無論支持するか否かだから、〝支持しないが多数〟と出るのは、当然であろう。だが其の後の設問に問題が有るのを感じた。曰く『安倍首相の責任と思うか』。で、答え『思う』が大多数という結果を前面に出す。で、其の次『〝安倍首相が信頼出来ない〟が44％でした』との結果を言ってみせる。オマケとして次に、政権を支持するのは『他の内閣より良さそうだから』との回答が多かったと、紹介していた。《他の新聞などのメディアでは「他に、良いと思う内閣が無いから」という回答を用意するという念の入れ方であった……》。此処迄、読む迄もなく読者はアレ？　同じ話だな、と気付いて居られる筈である。そうなのである。此の私の文の中のテーマ２（無党派層と世論調査と野党議員の話）でも詳述している。だが、２０

17年秋の時点で既に有った其の事件。其れが3年後に又其れも完璧にシンクロナイズして起きているのである！　又ぞろ、NHKはストーリー仕立てで世論調査の放映を行い、解説している。〝理系の〟私は別に、日本の政権に付いて好きだ、嫌いだなどの感情を持ち合わせない。唯単に現内閣が、日本国の運営を的確に行っているか否か、能力が有るか否かの尺度で見守っている。其の私から見て、NHK始め其の他メディアの世論調査のストーリー仕立て放映の〝嗜好〟はまさに〝文系の人〟其のモノの作品だなあ、というのが偽らざる感想である。

▼私は世論調査が不当、とは言わず況してや、安倍首相が信頼置ける人物だ、とも決して言っていない。お解りの通り、そんな事は私の指摘のターゲットではない。私の趣旨は、世論調査を実行している日本のメディアの〝文系の人〟的所業の〝洗い出し〟にある。そして此の際、〝理系の人〟私がオモシロイ事をご紹介したい。

【何故？　信頼出来ない日本国首相安倍晋三率いる自民党が其の直後の選挙で大勝しているのか】此の〝永遠の〟謎解きを私がヤッてみせる。

（但し此の趣向は前述でも同様の〝世論調査と選挙結果との乖離〟としての指摘はしたが、其の原因解明までには至らなかった。今回は其の〝解〟に迫るモノである）。

【答えは此の点にある】。NHKは世論調査で安倍晋三首相の『人柄が信頼出来ない』

と言う人が44%居た、とアナウンスしている。無論其の前提に〝現内閣を支持しない〟人に聞いた処、との〝前振り〟はある。だが問題は此の後である。

各メディアは一斉に『安倍首相が信頼出来ない人が44%!!』と報道、各評論家・コメンテーターは〝此の点を〟取り上げ口々に言い募る。『安倍さんなんか、信頼されてない』。すると其の結果は、どうだろう? 其れはまるで、国民の44%の人が『安倍首相が信頼出来ない人』と言っている様に聞こえるから、其のアナウンス効果として、(何回も私が言っている)【日本国民は信頼出来ない人物を総理大臣に選んでいる】という、信じられない様相を日本社会に提供している事になる。だがハナシには次がある。

▼其れは【安倍首相が〝信頼出来ない〟】と言っている人達は国民の44%ではない、という此の簡単なロジック、実は多くの人達が騙されているモノ、と私は指摘するのだが如何であろう?

其のロジックとは簡単な事だ。〝理系の人〟私は小学生の頃先生に『宮田、「○○の○○は?」此の答えを出すには↓〝の〟は、○と○を〝×ろ〟、だからナ』と教えて呉れたのを未だに覚えている。だから今回も〝中学出〟無学の私は、直ぐにヤッた。不支持率の49%〝の〟44%=(49×44)で21・56%。そうである、国民の44%ではない、国民の21％が『信頼出来ない』と言っている事になる。……という事は100から21を引くと、国民の79％は『信頼出来る』と安倍首相の事を思っている、という事にならないか？　世論調査に依る印象操作ってコワイ。無論国民は私がそんな事言わないでもトックに解っている、とは思う。でも一瞬、そうなのかなあ、と思って仕舞う人も結構居たのではないか。其れにメディアはとてもそんな〝親切な〟解説『実は国民の21・56％です』などはしていない。

そして、今度も又其の【繰り返し】である。イイ加減〝文系の人〟集団の《メディア》は其の事【〝乖離〟の事、そして国民は騙されない事】に気付くべきである。余りに〝芸が無さ過ぎ〟ではないか。唯、笑って仕舞ったのは、政権に対しての設問『他の内閣より良いから』『他に無いから』である。（他の内閣、とは如何なる意味か、他の政党【野党？】の意味か不明）だが、まるで、夫婦喧嘩した妻が『アンタを選んだのは、他に適当な奴が居なかったから……』又は『あの男よりマシだと思うから』『アンタは自分で優秀だと思っているだろうが、別に一等イイ男じゃないんだよ……』と口を歪めて口惜しそうに言っている図を思わせるではないか。ＮＨＫを始めとするメディアは、そう迄して日本国の首相及び政権を貶めたいのか？　此処は嗤うしかない。

私自身、安倍政権がイイとか悪いとかの評論はヌキにして、日本のメディアの世論調査を利用しての【信頼置けない、他に居ないから選んでいる、内閣である】と、国民に喧伝しているカラクリをまさに、〝文系の人〟の所業だ、と示したかった。

立憲民主党さん

此の党ほど不思議な党は無い、と私は思っている。無論此の党に付いて熟考している訳もなく、唯単に、〝文系の人〟の集まりなんだなあ、と思っているだけである。同党に対しては例の『安倍政権の間は、憲法改正の議論はしない』という台詞が頭に残る。〝一体何を言っているのか〟である。因みに共産党も『議論すらしない』と言っているそうである。若しそうであるなら、私はモノを言うのも馬鹿らしい。『議論をしない』と言ってる、此の人達は議員の資格なく、現実論者の私は我々の税金で賄われる議員報酬を返還して貰いたい、と思う。もう終わりとしたい。唯一つだけ言う。福山さんの事だ。同議員は先日、コロナ問題で国会の審議の中で『隠れ感染者は10倍居る筈だ』と発言したそうである。だが若し、そうだとすれば【何れは病院・警察、果ては葬儀社に死因不明の死者が報告され、大騒ぎとなる事必定……、だが一向に其の気配はない】『10倍居る』とは16万人の人を意味する。其れを知ってか知らずか、〝言い切って仕舞う〟、此の方の〝文系の人〟ぶりには唯、口をアングリさせるしか方法はない。

〝理系〟で……〝文系の人〟さん

・此処迄散々生意気言って来た〝理系の〟私だが、日頃結構、〝文系〟遣ってる。例えば早い話、私……ダジャレが大好き！　超ヘタだが……。だが其れでも傑作もある。其の中での一等オモロイのを紹介する。昔だが〝大島〟に行った時に、其れは出た！　あの時は、観光バスで山へ行き、中腹辺りで〝見晴らしの良い所〟に出た。バスガイドのお姉さんに言われて、みんな前方を見ると同じ様な格好をした2つの島が並んで佇んでいる。美観であった。ガイドさんが言うには『向かって右に見えるのが三宅島、左が御蔵島で御座いまーす』。だが同じ形をしていてサッパリ呑み込めない。と……、其処で私が〝わーっと大声で〟ダジャレを飛ばしたモンだ！【ミクラベても、ミヤケが付かねえ！】って……。途端、ドッと笑いが来た。大受け!!　ガイドさんにも褒められた。私が思うに、以後……、〝大島〟では観光バスが此の辺りに来ると、ガイドさんが〝私のギャグ〟でウケ狙い、実演しているのではないか。

・も一つ。ダジャレの話。昔、お客さんと仕事の話をしていた。『其処なんだよ、此其の件は、其の事が難点なんだよなあ』とお客さん。すると私が『そうなんですよ、其処が〝ナンテンのど飴〟なんですよねえ』……するとお客さん『何？　……アンタふざけてんのか？』と怒って帰って仕舞った。凄い後悔の念で、唇噛んでた〝苦い思い出〟、であった。弁解するが、此のお客さん、話の中で余りに『難点、難点』を連発するモノだからつい、私が言って仕舞ったモノだ。だがイマの人は若しかして【ナンテンのど飴】なんて知らナーイ、のではないか。

・『結婚しなけりゃイイんじゃねぇのか？』テレビで、タレントの不倫騒動でワイワイやってるのを見ていて私が呟いた。此のターゲットにされている男、〝イイ男で頭も切れる〟…らしい。其れじゃモテる訳だ。だが《一等マヌケなのは結婚しちゃった、事に有るのではないのか？　独身なら女の子と何遣ったたって咎められないぜ》とブツブツしている、〝理系の〟私が挙句に、口惜しそうに言い放った。

『モテるったって所詮〝文系の人〟じゃねぇか！』

・最後の最後になったが、私の健康管理に付いて、話したい。年齢も理由も申し上げない事にしているので、年齢に合った健康管理でもない事を最初にお断りする。実は私、己れの身体にエラく多い、欠陥を抱えていた。過去形になるのは現在は大部分が改良されているから、である。

其れらを例示すると、お腹は出っ張っているワ、頭の毛が薄いワ、視力が弱い（常に〝涙目〟である）、腋臭、水虫、魚の目、花粉症、胆石、脱腸（ダッチョ）、腰痛、バネ指、血圧が高い、肘が黒ずんでいる……、まあ例を挙げればキリがない位〝出て来る、出て来る〟、ウソかと思われる程である。だが其れらの改良に挑戦し、殆どが成功している事実があるのだ！　無論、手術に依るモノもかなりあるが、自分で治していったモノも随分ある。私の一等一番の自慢出来るモノ、『負けてタマるか！』という根性のお陰があった事に〝間違いない〟、此れは言える。兎に角自分でも信じられない位の、努力をし続けた。体重は短期間で5キロ減らす事が出来た。腰痛はスクワット（但し過激なモノではない）で見事治した。だが其れら具体的な改良法を述べるには到底紙面が足りない。で、一つだけ申し上げると、花粉症だ。

此れには私の口で言い尽くせない苦痛の時間があった。其れが或る事でほぼ完ぺきに治った！　のである。自分で、ではなく本によって……。『花粉症は絶対に直せる』と断言する医師の話を信じて、ゴボウを食べ続けた私は、長年苦しんで来た花粉症を直せた！　詳細に説明したり或いは、医師の名前を出すと宣伝になって仕舞う。だが簡単に言って本を読んで、先ず花粉症を起こす〝免疫のメカニズム〟とアレルギー反応が起きる原理を教わり、其の治療法に、フラクトオリゴ糖（食物繊維）を沢山摂取する事で、酪酸菌《アレルギー反応（過剰に〝花粉〟を攻撃する）を抑えるバランスの役目を持つ》を増やす事が有る。フラクトオリゴ糖、『其れを沢山含むゴボウを食べる事』が答えだった。そして私は果敢に実行し、ついに治して仕舞った！ ホントに本当の話である。〝理系の〟私は其の理論を信じた。理解出来た。花粉症克服には、其処に〝根拠〟がある。

自慢話を最後にして……、終わりとする。最後までお読み頂き深く感謝致します。

「最前線の映画」を読む Vol.2

映画には「動機《ワケ》」がある

町山智浩
Machiyama Tomohiro

インターナショナル新書 055

目次

○本書で引用した映画のセリフ、詩、歌詞、文章などは、翻訳者名を明記したもの以外、著者による翻訳です。
○本書で引用した聖書は、一部を除きすべて「新共同訳聖書」からのものです。

まえがき

本書は『「最前線の映画」を読む』に引き続き、２０１８年から19年にかけて作られた、アメリカ、メキシコ、ロシア、ギリシアなどの映画作家による映画の評論集です。

こうしてまとめて読んでみて気づいたのは、自分が映画について考えるのは、ある疑問への答えを探しているんだということです。

なぜ、この人はこの映画を作ったんだろう？

僕は映画を観て感動したり、逆に怒ったり、わけがわからなかった時、いつもそう思います。作り手の動機なんて、別に気にしない人が多いでしょう。多くの商業映画は依頼されて引き受けただけだったりもします。

それに、映画を観ただけでは、その答えは見つかりません。普通の映画観客にとって、作り手の動機は知るよしもないことです。

でも、僕は、それが気になってしかたがないんです。

いちばんわかりやすい例を挙げると、『スター・ウォーズ』です。主人公ルーク・スカイウォーカーの宿敵であり、師匠オビ＝ワンの仇、ダース・ベイダーはルークにこう言います。

「私はお前の父だ」

そして自分と共に父子で銀河帝国を支配しようと誘い、息子が拒否するとその手を斬り落とします。

その時のルークの絶叫は、物語を越えて、観る者の心に突き刺さるものがありました。これは作り手が頭だけでデッチ上げた話には思えなかったのです。

そこで、僕は雑誌や本を読み漁《あさ》り、『スター・ウォーズ』を創ったジョージ・ルーカス監督について調べました。そして、彼と父親の確執を知りました。彼は強権的だった父親から事業を継ぐよう強制され、それを振り払って映画監督を目指したのでした。

調べてみると、自分を感動させた映画の巨匠たちの多くが、そんな事情を抱えていました。

スティーヴン・スピルバーグの映画では、離婚家庭の子どもの寂しさが痛切に描かれますが、スピルバーグ自身、子どもの頃に父親が家を出て苦しみました。

マーティン・スコセッシの映画では、それまで笑顔で話していた男が突然暴力を爆発させる恐怖が描かれますが、スコセッシは子供の頃、マフィアが仕切るリトル・イタリーでいじめられっ子として暴力に怯《おび》えながら育ちました。

彼らのトラウマは、どこかで僕自身のそれとつながっていました。あんなに心を揺さぶられた理由がわかったような気がしました。だから、僕にとっての映画評論は、作品の出来不出来を評価することではなく、その映画が心に残したものの源泉をたどることになりました。

本書でも、監督に直接尋ねたり、インタビュー記事を探して、その映画に自分が感動した理由を探しています。

なぜ、ギレルモ・デル・トロは、『シェイプ・オブ・ウォーター』で、半魚人のラブストーリーを描きたかったのか？

なぜ、ポール・トーマス・アンダーソンの『ファントム・スレッド』で、夫は妻の毒キノコ料理をあえて食べるのか？

なぜ、ヨルゴス・ランティモスは『聖なる鹿殺し　キリング・オブ・ア・セイクリッド・ディア』で、幸福な家庭に復讐する少年はスパゲティを汚く食べるのか？

なぜ、アルフォンソ・キュアロンの『ＲＯＭＡ／ローマ』の父親は、デカいアメ車を狭い車庫に無理やり押し込むのか？

そんな謎を解く、一種のミステリーとして本書をお楽しみください。

町山智浩

第1章 なぜストリックランドは手を洗わない？
——『シェイプ・オブ・ウォーター』

2017年／米国・カナダ
監督・脚本：ギレルモ・デル・トロ
主演：サリー・ホーキンス
マイケル・シャノン
発売元：ウォルト・ディズニー・ジャパン

「ありがとう。モンスターたち、ありがとう」

２０１８年のゴールデン・グローブ授賞式で監督賞を受賞したギレルモ・デル・トロはその賞を誰よりもまず、モンスター、怪物や怪獣や怪人たちに感謝を捧げた。

「私はモンスターたちに救われてきました」

ギレルモ・デル・トロが製作・脚本・監督した『シェイプ・オブ・ウォーター』は、口の利けない中年女性と半魚人のラブストーリー、つまりモンスター映画だ。それが、第九十回アカデミー賞でも、作品賞、監督賞、作曲賞、美術賞の四部門を受賞したのだ。モンスター映画としては歴史に残る快挙だった。

そして、デル・トロにとっては、幼い頃から抱き続けた夢の成就だった。

半魚人の恋

1964年にメキシコに生まれたギレルモ・デル・トロ少年は、日本のゴジラ映画やウルトラマンのテレビ放送に夢中になった。それは他のメキシコの少年たちと同じだったが、ギレルモ少年は怪獣に自分を重ね、怪獣側の気持ちでそれを観たという。彼は筆者のインタビューでこう言っている。

「私は昔から変わった子どもでした。メキシコ人にしては陽気じゃないし、青白いし、スポーツもやらないで、本ばかり読んでいました」（2018年1月30日、渋谷ユーロライブ）

そんなギレルモ少年は七歳の頃、テレビでアメリカ映画『大アマゾンの半魚人』（1954年）を観た。

アマゾン川の奥で、古代に存在したギルマン（エラ呼吸人）の生き残りが発見され、アメリカの探検隊が調査に向かう。その半魚人は種族のたった一人の生き残りで、長い間、孤独に生きてきたらしい。彼は、探検隊の魚類学者の女性（ジュリー・アダムズ）が川面を泳ぐ姿に魅了され、彼女と並行して水中を泳ぐ。彼女には気づかれぬまま。

「ロマンチックでエロチックなシーンで、子ども心にどきどきしました」（17年11月19日、ロサンジェルスでの筆者のインタビュー、以下同）

ところが、探検隊はこの貴重な半魚人を射殺してしまう。

「何も悪いことしてないのに。七歳の私は非常に憤慨しました。だから、私なりのハッピーエンドを描いたのです」

ギレルモ少年は、半魚人とジュリー・アダムズが楽しくデートする絵を描いた。二人で自転車に乗ったり、ピクニックしたり、アイスクリームを食べたり……そして、二人はいつまでも幸福に暮らしました……。

その落書きが五十年近くの歳月を経て、『シェイプ・オブ・ウォーター』として実を結んだ。

冷戦時代の「男らしさ」

『大アマゾンの半魚人』は、教育映画のような、五十億年にわたる地球と生命の歴史の解説から始まる。半魚人は、進化の過程で人間から枝分かれした水棲人で、かつて地球に数多く存在し、平和に暮らしていた。

現代に移り、アマゾンで半魚人の化石が発見される。アメリカの研究者たちは、半魚人を捕まえるため、アマゾンへ赴《おもむ》く。「半魚人の水中で生活できる機能を研究すれば、これからの宇宙時代で役に立つだろう」と言って。このセリフは、まったくそのまま、『シェイプ・オブ・ウォーター』にも出てくる。

『シェイプ・オブ・ウォーター』の舞台は1962年。57年にソ連がアメリカに先駆けて人類初の人工衛星スプートニク1号を成功させたため、アメリカはあわてて宇宙開発を推進し、米ソ宇宙競争が始まった。アマゾンで捕らえられた「両棲人間」が極秘裏に首都ワシントン近くの「航空宇宙研究センター」に移送され、タンクの中で飼われ、研究されている。宇宙開発でソ連を制するため。

両棲人間研究の責任者、ストリックランド（マイケル・シャノン）は早く成果を出すよう上司からプレッシャーをかけられ、苛立って電撃棒で両棲人間を激しく虐待する。

実は『シェイプ・オブ・ウォーター』は、『大アマゾンの半魚人』以上に、その続編『半魚人の逆襲』（55年）の影響を受けている。『逆襲』では、前作で死んだはずの半魚人が生き延びていて、結局、捕獲され、フロリダの海洋研究所でタンクに閉じ込められ、見世物にされる。首に鎖を付けられて、クリートという科学者（ジョン・エイガー）に電撃棒で虐待される。

驚くのは、クリートが悪役ではなく、ヒーローとして描かれていること。それが、冷戦時代のアメリカが理想とした男らしさだったのだ。

『半魚人の逆襲』のクリートには、ヘレンという恋人がいて、水槽に囚《とら》われた半魚人を見て、こう言う。

「彼はこの世界でたった一人の生き残りなのよ。みなし子みたいなものなの。本当に孤独なのよ」

ヘレンの言葉が伝わったかのように、半魚人はタンクを脱出して、彼女に会いに行き、クリ

デル・トロ監督はこの作品を『美女と野獣』のアンチテーゼとして描いた

ートたちに殺されてしまう。この哀れな半魚人は、『シェイプ・オブ・ウォーター』で逆襲する。

『美女と野獣』へのアンチテーゼ

「声のないお姫様の愛と喪失、そして、すべてを破壊しようとするモンスターの物語」

『シェイプ・オブ・ウォーター』はそんなナレーションで始まる。「声のないお姫様」とはヒロインのイライザ（サリー・ホーキンス）。彼女は幼い頃に喉に傷を負い、声が出せない（耳は聞こえる）。だが、「すべてを破壊しようとするモンスター」は半魚人のことではない。

沈没した船の中のように水で満たされたアパート。エメラルドのような緑色の光の中、椅子や家具が、音楽に合わせて踊るように漂っている。それを捉えるカメラ自体も、ふわふわと漂っている。

これはイライザの夢の中だ。

イライザを演じるサリー・ホーキンスは四十歳過ぎで、目の覚めるような美人でもない。映画会社は、ヒロインに若くて人気のある美人女優を使えば、もっと出資すると申し出たが、デル・トロはそれを突っぱねた。

「『美女と野獣』へのアンチテーゼだからね」。デル・トロ監督は言う。

「『美女と野獣』は、人の価値は見た目ではないという物語だ。なら、なぜ、ヒロインは若く美しく、野獣は最後にハンサムな王子様になるんだ?」

イライザは目覚め、日常が始まる。湯船に浸かって、股間でチャプチャプと手を動かし、オナニーする。

「大人のための大人のおとぎ話だから」

アメリなイライザ

イライザの自由気ままな生き方が描かれる。夜中に目覚めて、バスで出勤する。仕事は軍の研究所の清掃員。でも、遅刻の常習者で、親友のゼルダ(オクタヴィア・スペンサー)が代わりにタイムカードを押してくれる。

イライザはモップを相手にダンスする。フレッド・アステアのように。家にいるときは、テレビでハリウッドのミュージカル映画を観る。アパートの隣人でイラストレイターの老人ジャイルズ（リチャード・ジェンキンス）と並んでカウチに座って、映画と一緒にタップを踊る。テレビで、1943年のミュージカル映画『ハロー・フリスコ、ハロー』（日本未公開）が流れている。主演女優アリス・フェイが「あなたは知らない」という歌を歌う。「あなたは知らない。私がどれだけ愛しているのか」

何も語らないイライザの気持ちも、誰も知らない。

イライザの日常はミュージカルのようにテンポよく編集されている。ジャン＝ピエール・ジュネ監督の『アメリ』（2001年）の冒頭に似ている。イライザもアメリも孤独だ。でも、孤独の中に楽しみを見出し、満ち足りている。

音楽担当は、フランス人のアレクサンドル・デスプラ。彼はこの映画でアカデミー作曲賞を受賞した。テーマの主題を奏でるのは口笛。イライザは口笛が好きだ。それは周囲を気にしない、マイペースで自由な心を意味している。

伴奏はアコーディオン。「ブラジルをイメージした」とデスプラは言っている。「半魚人がブラジルから来たからです」

デル・トロ監督はテリー・ギリアム監督の『未来世紀ブラジル』（85年）から影響を受けたという。

『未来世紀ブラジル』の主人公（ジョナサン・プライス）は、全体主義国家の小役人。日々、自分を殺して黙々と事務に忙殺される彼にとって、空を飛ぶ英雄になる夢を見ることと、「ブラジル」という楽しいサンバのラブソングだけが心の逃げ場だ。しかし、彼もレジスタンスの女性に恋をして、国家に立ち向かうことになる。

イライザもだ。

ストリックランドの指が象徴するもの

イライザがトイレを掃除していると、半魚人を虐待していたストリックランドが入ってきて、血みどろの電撃棒を洗面台に置き、用を足し、なんと手を洗わない。

「小便の後に手を洗うのは女々しい」

ストリックランドは男らしさに取り憑かれている。

政府のために働き、大きな家に住み、大きなアメ車に乗るストリックランドは、アメリカン・ドリームを体現している。

「パワー」

それがストリックランドの口癖。車のセールスマンに「このキャデラックは何馬力（ホースパワー）で、パワーウインドウで、パワーステアリングですよ」と店員に言われて、新車を買ってしまう。

愛読書は、『積極的考え方の力《パワー・オブ・ポジティブ・シンキング》』（ノーマン・V・ピール著）。自己啓発書の古典で、マクドナルド・チェーンの創業者レイ・クロックの愛読書でもある。彼の伝記映画『ファウンダー ハンバーガー帝国のヒミツ』（2017年）には、クロックが『積極的考え方の力』の朗読レコードを聴きながら「俺はやれる」「俺は勝てる」と鏡に映った自分に言い聞かせるシーンがある。ストリックランドも鏡の中の自分に「俺はできる」「俺は勝てる」と言い聞かせる。それはもはや呪文だ。

ストリックランドは半魚人に指を食いちぎられる。いちおう接合するが、用を足した後も手を洗わないからか、指はどんどん膿《う》んで腐っていく。ストリックランドの指は男根の象徴なのだろう。拳銃で撃った相手の弾痕にレイプのように指を突っ込むシーンもある。

家に帰ったストリックランドは妻を犯す。前戯もなく、ただがむしゃらに腰を動かす。「女は黙ってろ」と妻の口をふさぐ。腐った指で。

そしてイライザにこう言う。「好きだぜ。何も言わないから」

声なき人々、見えない人々

研究所で半魚人は「両棲人間」と呼ばれている。それは、1928年にソ連の作家のアレクサンドル・ベリャーエフが書いた小説『両棲人間』から取られている。ある少年が、マッド・サイエンティストに改造されて、水中でもエラ呼吸ができる両棲人間にされてしまう。孤独な彼は真珠採りの少女に恋するが……いわば「逆人魚姫」だ。

アンデルセンの『人魚姫』も、脚を得る代償に声を失った。

イライザは、半魚人にこっそり近づき、レコードで音楽を聴かせる。この場面は『フランケンシュタインの花嫁』（35年）で、人間に虐待された人造人間が、バイオリンの音色に癒《い》やされる場面に似ている。声が出せないイライザとしゃべれない半魚人を音楽がつなぐ。

「イライザが声を出せないのは、〝声なき人々〟の象徴だから」デル・トロは言う。

イライザ以外の清掃員は親友のゼルダのような黒人やラテン系ばかり。62年は黒人の人権が認められていく過渡期で（街頭のテレビに、黒人のデモが弾圧されるニュースが映る）、このような政府施設では、清掃や食堂など下働きばかりだった。

たとえば、リー・ダニエルズ監督『大統領の執事の涙』（2013年）に描かれているように、歴代大統領の執事たちは、ずっと黒人だった。国家機密に関わる会話を耳にしたところで、黒人には何も理解できないだろう、仮に理解できたとしても何の行動も起こせないだろう——と見くびられていたのだ。

1952年、ラルフ・エリソンという黒人作家が、『見えない人間』という小説を発表している。「見えない人間」とは、透明人間という意味ではない。黒人のことだ。そこにいても、無視されていた人たち。

『シェイプ・オブ・ウォーター』で、白人の研究員たちは、清掃員とすれ違っても挨拶をしない。見えていない。ホフステトラー（マイケル・スタルバーグ）という研究者以外は。

アザーズ、その他の人々

『シェイプ・オブ・ウォーター』は、ほとんどのシーンの背景や壁、家具の色が海底を思わせるティール（青緑色）でコーディネイトされている。また、カメラはつねに、水中を浮遊しているように動き続けている。

この映画は、色彩設計はもちろん、音楽、撮影、美術、すべてをデル・トロがコントロールした、いわゆるAuteur（映画作家）の作品だ。彼は自腹を切って製作費の一部を負担したことで、製作会社20世紀フォックスの口出しを抑えた。だから通常の商業映画なら切り捨てられるような、本編のストーリーに無関係なディテールも多い。

たとえば、チョコレート工場の火事。チョコレートの甘い匂いが町中に充満して、子どもたちはさぞかし興奮しているだろうとジャイルズは言う。「悲劇と喜びは同時に訪れることもあるんだね」。

含蓄《がんちく》のある言葉だが、このシーンは無くても困らない。ところがデル・トロはこのシーンのために消防車まで借りて、相当なコストをかけている。

また、イライザが通勤する際、バス停のベンチに太った男が座っている。彼は風船とバースデーケーキを持っている。ケーキは、一人分だけ切り取られてなくなっている。

この男について、説明はまったくない。シナリオにもノベライゼーションにも何も書かれていない。物語とも関わらない。

だが、デル・トロはインタビューでこう説明している。

「あの日は、彼の誕生日だった。祝ってくれる人が誰もいなかったから、彼はバースデーケーキを自分で買って、自分のお祝いをして、一人分だけケーキを食べた」

画面の隅っこにも人生があることをデル・トロは忘れない。彼は言う。

「これはアザーズの物語なんだ」と。

アザーズ、その他大勢、普通の映画ならけっしてセリフも与えられない脇役たちをデル・トロはクローズアップしていく。

ゴッド・アンド・モンスター

同性愛者もまた、1962年当時は、人権を認められていなかった。同性愛は州によっては

イライザは隣人ジャイルズとともに立ち上がる

刑事犯罪で、けっして公言することはできなかった。

イライザの隣人、ジャイルズはゲイで、ダイナーのカウンターで働く逞《たくま》しい青年にひそかに恋している。

ジャイルズという役名は、『ラブ&デス』（97年）の主人公（ジョン・ハート）から取ったという。ジャイルズはゲイの老人で、トーマス・マンの『ヴェニスに死す』のように、美青年に恋して死んでいく。

また、デル・トロはシナリオを書く際、ジャイルズ役に、ビル・コンドン監督の『ゴッド・アンド・モンスター』（98年）でジェームズ・ホエールを演じたイアン・マッケランをイメージしていたという。

ジェームズ・ホエールはイギリス出身の映画監

督で、『フランケンシュタイン』（31年）と、その続編『フランケンシュタインの花嫁』で知られる。当時としては珍しく、人々に迫害される孤独なモンスターに共感を込めて描いた名作だ。ホエールは、当時は日陰者とされた同性愛者である自分をモンスターに重ねたと言われる。

そのホエールの晩年を描く映画が『ゴッド・アンド・モンスター』。脚本・監督のビル・コンドンも、ホエール役のイアン・マッケランもゲイであることをカムアウトしている。『ゴッド・アンド・モンスター』というタイトルは、『フランケンシュタインの花嫁』で、フランケンシュタイン博士に人造人間を作らせようとするプレトリウス博士の言葉「神々と怪物たちの新世界へ！」から取られている。

一人ぼっちたちの反乱

イライザはストリックランドから半魚人を救い出そうと、ジャイルズを誘うが、臆病な彼は躊躇《ちゅうちょ》する。

だが、片思いの相手であるバーテンの手に思わず触れてしまい、拒否される。さらに、彼がダイナーから黒人客を追い出すのを目撃してしまう。

1962年当時のボルチモアでは人種隔離が行なわれていて、レストランや公衆トイレは白人用と黒人用に分かれていた。差別への抗議として、黒人たちが白人用ダイナーに座り込む

「シット・イン」を行ない、63年以降、アメリカではレストランの黒人客拒否は禁じられた。

同じように、同性愛者たちも各地のゲイバーで警官から不当逮捕や暴行を受け続けてきたが、69年にニューヨークで警官の横暴に対して初めて蜂起し、そこから同性愛者の誇りを掲げて行進するプライド・パレードが全米に広がっていった。

ダイナーから追い出されたジャイルズはイライザのところに戻り、半魚人救出に参加する。

「僕も一人なんだ。何でもいいから手伝うよ」

イライザの同僚ゼルダも加わる。彼女もぐうたらな夫に踏みにじられていた。ホフステトラーもだ。実は彼はソ連のスパイだったが、心優しい彼は全体主義のソ連には居場所がなかった。救出作戦に気づいた黒人職員は何も言わずにイライザに協力する。声なき人々の反乱だ。

あなたは知らない

イライザは半魚人を自宅のアパートの浴室にかくまう。ある晩、半魚人は部屋を抜け出して、一階の映画館に迷い込む。それは1913年にカナダのトロントで建てられた古い映画館で、神殿のようにデザインされている。上映されているのは、ヘンリー・コスター監督『砂漠の女王』(60年)。

旧約聖書「ルツ記」を下敷きにした物語で、ユダヤ人にとって異教徒であるモアブ族の少女ルツが、生贄《いけにえ》にされそうになって逃げ出す。そして、心優しいユダヤ人の大地主に見初められ、民族の壁を乗り越えて、結婚する。曾孫《ひまご》がイスラエル王タビデとなる。

イライザの民族的背景は不明である。赤ん坊の頃、川辺で発見された孤児だ。半魚人を連れ戻したイライザは、この夜、彼と結ばれる。

「あなたは知らない。どれほどあなたを愛しているか」

イライザの想いが歌声となってほとばしる。彼女の背後に、モノクロのハリウッド・ミュージカルのセットが広がる。イライザと半魚人は『踊るニュウ・ヨーク』（40年）の、フレッド・アステアとエレナ・パウエルのように優雅に踊る。誰もアザーズなんかじゃない。みんな主役だ。

怪獣たちは殉教者

「モンスターは自分の守護聖人（守り神）でした」

ギレルモ・デル・トロは言う。カトリックでは信仰のために自らを犠牲にした人々が聖人と認定され、さまざまな職業や願い事の守護聖人として信仰される。たとえば木に縛り付けられて弓矢で射られたことで知られる聖セバスチャンは兵士やスポーツ選手の守護神とされる。

「メキシコでの聖人信仰は強烈です。迫害されて血みどろになった姿を祀《まつ》るんです」とデル・トロは言う。それは彼の中で、映画やテレビの怪獣たちと重なった。怪獣たちは、ただ出現しただけで、いきなり撃たれたり、戦車で砲撃されたりする。殺されずに終わることは少ない。「迫害される怪獣と殉教する聖人たちが重なりました。神に救いを見出す人は多い。キリストに人生を照らし合わせる人もいます。私にとってそれは、怪獣でした」

デル・トロを目覚めさせた『大アマゾンの半魚人』も、実は「神」だった。プロデューサーのウィリアム・アランドが、メキシコ人の名撮影監督ガブリエル・フィゲロアから聞いた「アマゾンには半魚人の神がいる」という話を膨《ふく》らませたのだ。ちなみにフィゲロアはメキシコで二百三十本以上の映画を撮影し、メキシコ映画界を背負って立っていた人物。

デル・トロ監督自身が書いた『シェイプ・オブ・ウォーター』のノベライゼーションでも、半魚人はアマゾンの原住民たちから「ギル神」、つまり「エラの神」と呼ばれている。

『パンズ・ラビリンス』の変奏曲

『シェイプ・オブ・ウォーター』は、デル・トロ監督の『パンズ・ラビリンス』（2006年）とよく似ている。『パンズ・ラビリンス』の舞台は、フランコ将軍の軍事独裁政権時代のスペイン。ヒロインのオフェリアという少女は森の中にあるファシスト軍の要塞に住んでいる。要塞を支配しているのはヴィダル大尉というサディスト。憂鬱な暮らしの中で、オフェリアは想像の世界に逃避し、半獣神パンと出会う。

オフェリアは『シェイプ・オブ・ウォーター』のイライザ、ヴィダルはストリックランド、パンは半魚人にあたる（どちらもスーツ・アクターのダグ・ジョーンズが演じている）。ヴィダルの要塞には、ひそかにレジスタンスに協力する者がいる。それは家政婦のメルセデス、医師のフェレイロで、彼らは『シェイプ・オブ・ウォーター』におけるイライザの同僚ゼルダと、ソ連のスパイ、ホフステトラーと重なる。

オフェリアは最後に地下世界のプリンセスになる。想像の中で。イライザは……。

ストリックランドの解放

イライザは港から半魚人を海に逃がそうとするが、そこに現われたストリックランドに二人は撃たれてしまう。

しかし、半魚人は死の淵から蘇る。手で弾痕を触ると傷は消える。

撃たれた半魚人が蘇るシーンは、グレッグ・モットーラ監督『宇宙人ポール』（２０１１年）のラストシーンとよく似ている。宇宙人ポールの名は、新約聖書を書いた聖パウロに由来する。ポールはキリスト教原理主義者の男に撃たれて死ぬが、キリストのように蘇る。さらにポールはキリストのように病を癒やす。

半魚人もそうだ。ちなみに魚はキリストの象徴だ。ギリシャ語で魚をイクテュスという。ギリシャ語で「イエス・キリスト」「神の子」「救世主」を意味する単語の頭文字を並べると、イクチュスとなる。古代ローマ帝国がキリスト教徒を弾圧していた時代、魚はキリスト教徒たちの間で秘密の符号として使われた。

キリスト教徒であるストリックランドは、「半魚人は人間ではない」と言っていた。「神はご自分に似せて人間をお造りになった」「まさか神が半魚人のような姿であるはずがない」と。しかし復活した半魚人を見て「くそっ、お前、神だったのか」と驚く。モンスターはゴッドだったのだ。

ストリックランドは半魚人に喉を掻き切られて倒れる。ノベライゼーションには、彼が、喜びに満ちて死んでいくと書かれている。男性神話から彼を解放してくれた神に感謝してに違いない。

人間は古来、異質なものを神と崇《あが》めていた。身体の形が人と違うマイノリティは稀人《まれびと》と呼ばれ、尊敬され、大事にされた。子どもが怪獣を愛するのも、人間の原初的欲求に由来するのだろう。

水の形

イライザは半魚人とともに海に沈む。彼女の首の傷はエラに変化する。彼女は生まれたところに戻ってきたのだ。

『シェイプ・オブ・ウォーター』は詩で終わる。

あなたの形は見えなくても、私の周りにあなたを感じる
あなたの存在が私の目を愛で満たす
私は何も欲しくない　あなたはどこにでもいるから

この詩における「あなた」とは「水」。

「あの詩は、最後の最後に録音したんだ」デル・トロは言う。「どうしても映画を締める言葉が見つからなくて、本屋に行ってイスラム教の詩の英訳本を見つけて、そこにあった数百年前の詩がテーマに近いと思ったんだ」

ただ、デル・トロは詩人の名前を明らかにしなかった。多くの研究者がこの引用元を探したが、ぴったり一致する詩は見つかっていない。

有力なのは、ジャラール・ウッディーン・ルーミーの詩をアレンジしたという説。ルーミーは十三世紀ペルシャのイスラム教神秘主義者で、彼の詩にはこうある。「私を人間の形で見ないでくれ」「私はあなたの眼差《まなざ》しの中にいる」「あなたの心の中にいる」「目に見える形ではな

い」。ルーミーは無形の愛として神を讃える詩人だった。

シメオンの詩だという説もある。彼は十世紀の東方教会の詩人で、神を讃えてやはり「あなたには形として見えない美しさがあります」と言っている。

シェイプ・オブ・ウォーター（水の形）は決まっていない。愛もそうであるように。


『シェイプ・オブ・ウォーター』のアカデミー作品賞受賞は、いくつかの壁に風穴を開けた。

まず、長い間、SFやホラー、特にモンスター映画を排除してきた、作品賞の「壁」。それにメキシコ人の監督が、アザーズたちの戦いを描いた映画だということで、白人至上主義者に支援されたドナルド・トランプが文字通りメキシコとの国境に築こうとしている、人々を分断する「壁」。ちなみにトランプの愛読書はストリックランドと同じ『積極的考え方の力』だ。

オスカー像を握ったデル・トロはこうスピーチした。

「映画と、映画産業がする最高の仕事は、砂に書かれた境界線を消すことだと思います」

国境を含めたすべての境界線は人が勝手に決めたものにすぎない。

「世界がその境界線をもっと深く刻み込んで人々を隔てようとするときこそ、私たちはそれを消し続けなければなりません」

これから始まる神と怪獣《ゴッド・アンド・モンスター》たちの時代に乾杯。

第2章　なぜ暴力警官は「チキチータ」を聴くのか？

——『スリー・ビルボード』

2017年／英国・米国
監督・脚本：マーティン・マクドナー
主演：フランシス・マクドーマンド
ウディ・ハレルソン
サム・ロックウェル
販売元：ウォルト・ディズニー・ジャパン

朝もやの中に、三つ並んだ朽《く》ち果てたビルボード（路傍の立て看板）が浮かび上がる。

マーティン・マクドナー監督・脚本の『スリー・ビルボード』の原題は「ミズーリ州エビング市郊外の三つのビルボード」。

エビングは架空の地名だが、緑深い森に囲まれているので、オザーク山地のあるミズーリ南部という設定だろう。

タイトルバックに聞こえる清らかな歌声は、日本では「庭の千草《ちぐさ》」として知られるアイルランド民謡「夏の最後の薔薇」。

アメリカ南部なのに、なぜ、アイルランド民謡？

マクドナー監督はアイルランド系イギリス人だが、それだけが理由ではない。この映画にはアイルランド系の多くが信仰するカトリックの教えがテーマとして隠されている。

三つのビルボードは、『スリー・ビルボード』の三人の「主人公」を象徴している。娘を何者かに殺された中年女性ミルドレッド（フランシス・マクドーマンド）、地元の警察署長ウィロビー（ウディ・ハレルソン）、それに暴力警官ディクソン（サム・ロックウェル）。

映画は最初、ミルドレッドの物語として始まり、次にウィロビー、最後は、ディクソンが物語の中心になる。そして、最初に観客が彼らに抱いた印象とはまったく違う裏面が見えてくる。看板の裏側をのぞき込むように。

炎の捜索者

そのビルボードのあたりで、ミルドレッドの娘は何者かにレイプされ、殺され、ガソリンで焼かれた。犯人のDNAが残されていたにもかかわらず、地元の警察は犯人を見つけられなかった。そこでミルドレッドは三つのビルボードの広告料を出して、警察署長ウィロビーを糾弾するメッセージを掲げる。

マクドナー監督は二十年ほど前、まだ貧乏だった頃にアメリカを訪れ、長距離バスで南部を旅行したとき、バスの窓から、これに似た、個人の怒りをぶつけたビルボードを見たという。通り過ぎた彼は、そのビルボードの広告主のことをいろいろ想像し、そこからこの物語が生まれた。

ミルドレッドのヘイズという姓はアイルランド系で、カトリックだった。しかし娘が犯されて惨殺されたことで、神への信仰を失い、教会に行かなくなった。説得に来た司祭に、最近のカトリック聖職者による信者の少年少女への性的虐待事件の連帯責任を問うて追い返す。

ミルドレッドは西部のガンマンのようにつねに眉間に皺《しわ》を寄せ、歩くときには西部劇のようなメロディが流れる。フランシス・マクドーマンドは『捜索者』（1956年）のジョン・ウェインを参考にしたという。『捜索者』は先住民に誘拐された姪を捜し求める男の執念を描いた西部劇。ミルドレッドは炎で娘を焼かれて、炎のような怒りが心に渦巻いている。ビルボードも炎のように真っ赤だ。

怒りの炎は警官ディクソンに引火する。ディクソンは昇進試験に落ちたダメ警官で、田舎には珍しく、五十近いのに結婚せず、母親と暮らしている。ウィロビー署長を熱烈に尊敬する彼は、ビルボードを出したミルドレッドに嫌がらせを始める。ミルドレッドの経営する土産物屋の店員（黒人女性）を不当逮捕するディクソンは、南部に典型的な人種差別的な警官に見える。

ウィロビー署長が末期ガンを苦にして自殺したと知ったとき、気絶するほどショックを受けたディクソンは、その怒りを、ビルボードを扱う広告代理店のレッド（カレブ・ランドリー・ジョーンズ）にぶつける。ディクソンが警察署から道路を渡って向かいの建物の二階の広告代理店に入り、レッドを窓から投げ落とすまでをワンカットで撮影している。

ミルドレッドはウィロビー署長たちを激しく糾弾する

さらにディクソンはウィロビーを愚弄《ぐろう》するビルボードに放火して焼く。報復としてミルドレッドは警察署に火炎瓶を投げつけ、中にいたディクソンは火だるまになる。
こう書くと何やら恐ろしい暴力の応酬だが、ミルドレッドに金的を蹴られた女子高生がなぜか股間を押さえてうずくまったり、ディクソンは何かにつけてマヌケだったり、演出はどこかのどかなコメディ・タッチだ。マーティン・マクドナーの作品はいつも暴力とユーモアが混じり合っている。

マクドナー・タッチ
マーティン・マクドナーは、1970年にロンドンで生まれた。両親はアイルランドから来た移民で、父親は建築作業員、母親はビルの清掃員で、家庭は非常に貧しかった。マーティンと兄のジョンはカトリックとして育てられた。マクドナー兄弟は、幼い頃から両親の故郷アイルランドの田舎を毎年のように訪ね、祖父母から、アイルランドの民話を聞かされた。冒険とユーモアに満ちたおとぎ話に兄弟は夢中になった。

ただ、マクドナー兄弟の少年期、70年代から80年代にかけて、アイルランドとイギリスの関係は良くなかった。英国領北アイルランド（スコットランド人が入植したアイルランド島北部）では、プロテスタントのスコットランド系住民と、カトリックのアイルランド系住民が激しく対立し、ロンドンでも爆弾テロが頻発していた。

十四歳の頃、マーティンは兄と一緒に、ブライアン・デ・パルマ監督の『スカーフェイス』（1983年）を観た。貧しいキューバ移民のアル・パシーノがマフィアの世界で這い上がっていく血みどろのギャング映画だ。これを観て感動したマクドナー兄弟は映画監督を目指すようになった。二人は、十代半ばで学校を辞め、スーパーマーケットなどで働きながら独学でシナリオを勉強した。マーティンは1996年から97年にかけて、何本もの戯曲を一気に書き上げた。それらの作品は次々と劇場で上演され、いくつかの賞を受賞し、彼は気鋭の劇作家として注目されるようになった。

最初に認められた戯曲は『ビューティー・クイーン・オブ・リナーン』（96年）。アイルランド西部の田舎町リナーンで、老母を介護しながら暮らす四十歳の独身女性が主人公のブラック・コメディだった。

マーティンは続けてリナーンを舞台にした戯曲を二本発表した。二作目は『コネマラの骸《がい》骨《こつ》』（97年）。父の故郷コネマラで、墓掘人が墓地を整理するために人骨を掘り出し、その人骨をテーブルに並べてハンマーで潰しながら芝居をする、これまたブラック・コメディ。

リナーン三部作の三作目『ロンサム・ウェスト』（97年）は、仲の悪い兄弟の物語で、神父に「仲良くしろ」と諌められても聞く耳を持たず、ほとんど殺し合いのような刺し合い、撃ち合いをする。これはマーティン・マクドナーと兄ジョンとの関係を反映しているのかもしれない。

血みどろマヌケなマクドナーの世界

マーティン・マクドナーはアイルランドのアラン諸島を舞台にした三部作も書いている。一作目『イニシュマン島のビリー』（97年）は、34年、アメリカの映画の巨匠ロバート・フラハティがアラン諸島で『アラン』という映画を撮影した実話を基にしている。

フラハティはアラスカのイヌイットの生活を撮影した『極北の怪異（極北のナヌーク）』（22年）で世界的に有名な監督。世界各地の辺境に行き、現地で暮らす人たちに日常生活を演じさせ、それをドキュメンタリー風に撮影した。限りなくドキュメンタリーに近いが、出演者に演技をさせている点ではニセ・ドキュメンタリーということになる。

『イニシュマン島のビリー』の主人公ビリーは、手足が不自由で、島の人たちから差別的な言葉で呼ばれている。『スリー・ビルボード』で、ミルドレッドが小人症のジェームズを「ミゼット」と呼ぶように。マクドナー自身が差別的なのではなく、登場人物の性格描写としてその言葉を使っているのだが、よく世間から批判される。

マクドナーの作風が確立されたのは、「アラン諸島三部作」の第二作『ウィー・トーマス』（2001年）だと言われる。

原題は『イニッシュモアの中尉』。主人公は「アイルランド民族解放軍」のテロリストだ。

北アイルランドでは、イギリスからの離脱を目指す武装組織「アイルランド共和国軍」が武力闘争を続けていたが、1975年に停戦表明をした。これを不満とする過激派たちが立ち上げたのがアイルランド民族解放軍で、彼らは引き続きイギリス政府にテロ攻撃を行なった。

そんなアイルランド民族解放軍の中でも、最も凶暴なのが主人公のマッド・パドレイク。『ウィー・トーマス』という物語は、マッド・パドレイクがマリファナの売人を拷問するシーンから始まる。売人は吊るされ、足の爪をはがされる。パドレイクはさらにカミソリを研ぎ、乳首をそぎ落とそうとして、尋ねる。「右と左、どっちがいい？」

するとそこに電話が入る。イニシュモア島の実家に住む父親からだ。

「お前が大事にしていたウィー・トーマスの具合が悪くなった」知らせを聞いたパドレイクはパニックになってしまう。彼は猫ちゃんが大好きなのだ。マクドナーの映画『セブン・サイコパス』（2012年）のマフィア（ウディ・ハレルソン）も、人は簡単に殺すのに、ペット好きなキャラクターだった。

ウィー・トーマス（おしっこトーマス）とは、猫の名前。

『ウィー・トーマス』のパドレイクは猫が心配でイニシュモア島に帰る。しかし彼が着く前に猫はすでに死んでいた。「ウィー・トーマスが死んだとわかったら、俺たちは殺される」と怯《おび》えた家族は別の猫を拾ってくる。ウィー・トーマスは黒猫だが、拾ってきた猫は茶色いので、彼らはその猫を靴墨で黒く塗る。そんなマヌケなコメディなのに、人はバタバタ死ぬ。それがマクドナーの作風だ。

コリントの信徒への手紙

だが、『スリー・ビルボード』には、今までのマクドナー作品にはなかったものがある。

崇高さだ。

ミルドレッドが、娘が亡くなった場所に立つビルボードに捧げた花の世話をしていると、小鹿が現われる。ここで彼女は、この映画で初めて柔和な笑顔を見せる。そして、娘の生まれ変わりのような（第7章『聖なる鹿殺し』参照）小鹿に話しかける。

「犯人が裁かれないのは、この世には神様なんかいなくて、世界は無意味で、誰が何をしてもいいということ？　そんなはずないわ」

ミルドレッドは今も神を求めている。

ネオ・フォーク・バンド、モンスターズ・オブ・フォークの「ヒズ・マスターズ・ボイス」という歌が、神の声を聴けと呼び掛ける。

「人は自分の信じるものしか聴こうとしない／主の声が聞こえないのか」

自殺したウィロビー署長は、ダメ警官のディクソンに「お前は刑事になれる」と励ます手紙を残していた。

「警察官に最も大切なものは、愛だ。愛は平静を導き、平静は思考を導く。（中略）拳銃は要らない。憎しみも要らない」

その手紙は、新約聖書「コリントの信徒への手紙一」（13章4～7節）の緩《ゆる》い引用だ。

「愛は忍耐強い。愛は情け深い。ねたまない。愛は自慢せず、高ぶらない。（愛は）礼を失せず、自分の利益を求めず、いらだたず、恨みを抱かない。（愛は）不義を喜ばず、真実を喜ぶ。（愛は）すべてを忍び、すべてを信じ、すべてを望み、すべてに耐える」

「コリントの信徒への手紙」を書いたのは聖パウロだが、死の直前に言葉を残すウィロビーは、

母親と2人暮らしのディクソンには誰にも言えない秘密があった

死の直前に七つの言葉を残したキリストになぞらえられているのだろう。三つの看板は、ゴルゴタの丘に立てられた三つの十字架を思わせる。さらにまた、キリストは馬小屋で生まれ、ウィロビーは馬小屋で死ぬ。

チキチータ

ウィロビーがディクソンに宛てた手紙には、こんな記述もある。

「もしオカマ野郎と言われたら、ホモフォビアめ、と言い返せ」

つまりウィロビーは、ディクソンがゲイだと知っていた。彼が結婚しないのはそのせいだった。ディクソンがヘッドホンでABBAの「チキチータ」を聴くシーンでは、南部の田舎の警官に似合わないので観客を笑わせるが、ABBAはゲイに人気のあるミュージシャンだ。

ゲイであることが許されない保守的な土地に育ったディクソンは自分のセクシュアリティを受け入れられず、また、ウィロビーへの報われない愛にも悩み、弱い者たちに当たり散らしていた。でも、ウィロビーはこう手紙に書く。「お前は変わることができる」

そこでディクソンは、ミルドレッドの投げた火炎瓶で、全身に大やけどを負って死にかける。ところが、それがきっかけで、ダメ警官だったディクソンはミルドレッドの娘を殺した犯人を捜す「善人」に生まれ変わる。

マクドナー監督はこの映画についてのインタビューで再三、こう言っている。

「これは、人は変われるという希望の物語だ」

暴力という恩寵

全身大やけどのディクソンに、彼に半殺しにされた広告代理店のレッドが小さなゆるしを与える場面は目頭が熱くなるが、ディクソンの改心は、レッドが前半で読んでいたある本が伏線になっていた。

それは、『善人はなかなかいない』（1955年）という、アメリカの作家フラナリー・オコナーの短編集だ。マクドナーは『スリー・ビルボード』を物語るにあたって、南部の田舎の普通の人々の日常を描き続けた彼女の小説を参考にしたと思われる。

オコナーは1925年に南部ジョージア州に生まれた。マクドナーと同じアイルランド系だ。彼女は十六歳の頃、紅斑性狼瘡《ろうそう》という膠原《こうげん》病の一種で父を失い、二十五歳で父と同じ病気が発現し、64年に三十九歳で亡くなった。その幸福とは言えない生涯で、彼女は敬虔なカトリック信者であり続けた。

オコナーの作品はマクドナーのそれとよく似て、暴力とユーモアが混在している。南部の日常は、突然の理不尽な暴力に引き裂かれる。たとえば短編「田舎の善人」のヒロインは田舎の善人だと思ったセールスマンに凌辱され、「善人はなかなかいない」の一家はならず者たちに襲われて殺される。

「善人はなかなかいない」の一家の「おばあちゃん」は、「はみ出しもの」と呼ばれる悪人が己の境遇を嘆くのを見て、「一瞬、頭が澄みわたった」。そして「まあ、あんたは私の赤ちゃんだよ」と言いながら、「はみ出しもの」に触れようとする。

おばあちゃんは胸に銃弾を三発食らうが、「その顔は雲ひとつない空を見上げてほほえんでいる」（横山貞子訳）。

なぜほほえんで死んだのか。オコナーは作家ジョン・ホークスへの手紙にこう書いている。

「〈はみ出しもの〉は、おばあちゃんが彼を自分の子どもと認めたとき、彼女を通して恩寵《おんちょう》に

触れます。同時におばあちゃんは彼の特殊な苦しみを通して恩寵に触れます」（横山貞子『存在することの習慣』筑摩書房）

恩寵（グレース）とは「神の恵み」とも呼ばれるカトリック独特の概念で、苦しむ人々を救う奇跡だ。

銃で撃たれるのが神の恵み？　オコナーは突然の暴力を神の奇跡だと考えていた。

「私の作品では、人物たちを真実に引き戻し、彼らに恩寵の時を受けいれる準備をさせるという点で、暴力が不思議な効力を持つということに気づくからである。人物たちの頭は非常に固くて、暴力の他に効き目のある手段はなさそうだ」（上杉明『秘義と習俗』春秋社「自作について」）

人間というのは容易には変われない。しかし、突然の暴力が日常を切り裂いて落雷のように襲いかかる。彼らは死ぬ一瞬前に神を受け入れる。

怒りは怒りを来たす

しかしミルドレッドは変わらない。犯人への怒りの炎が大きすぎて。

ディクソンが母親と二人、テレビで映画を観るシーンがある。画面は見えないが、音声で、ニコラス・ローグ監督の『赤い影』（１９７３年）だとわかる。

『赤い影』は、主人公（ドナルド・サザーランド）の幼い娘が事故で溺死するシーンから始まる。

娘は真っ赤なレインコートを着ていた。主人公は仕事で赴いたベニスで、赤いコートを着た少女を見かけ、彼女を追いかけるが——。彼は娘の死に取り憑かれて、真っ赤なコートで身を亡ぼす。ミルドレッドも娘の死に取り憑かれて、真っ赤なビルボードを立てる。

そんなミルドレッドを小人症のジェームズは支えようとするが、彼女に拒否され、怒りと悲しみの言葉を残して去っていく。『赤い影』でも、娘の死に囚われている主人公にとどめを刺すのは小人症の人だ。

頑ななミルドレッドを目覚めさせたのは、意外にも、バカにしていた元夫の若い恋人ペネロープの言葉だった。

「怒りは怒りを来たす」

この言葉は、ジャイナ教の開祖マハーヴィーラの言葉と同じだ。マハーヴィーラはブッダと同時代のインドの思想家。似た言葉は新約聖書にもある。

「剣を取る者は皆、剣で滅びる」(「マタイによる福音書」26章52節)

ミルドレッドはやっと怒りから解放された。

砂のある場所

真犯人を追うディクソンは、酒場で、ある男が女性をレイプして焼き殺したと自慢するのを耳にした。ディクソンは命がけで、その男からDNAを採取したが、ミルドレッドの娘を殺した犯人とは一致しなかった。アリバイもあった。当時、男は軍の仕事で「砂の多い場所」にいたという。

そう聞いても、鈍いディクソンはわからないが、その男は戦争でイラクにいたのだろう。2006年3月、イラクで五人の米兵が十四歳の少女を輪姦し、彼女の一家もろともガソリンをかけて焼いた。ブライアン・デ・パルマの映画『リダクテッド　真実の価値』（07年）でも描かれた、おぞましい事実だ。その男も似たようなことをしたのだろう。

ミズーリ州の田舎町の殺人事件が、イラク駐留のアメリカ兵による残虐行為とつながる展開も、実にフラナリー・オコナー的だ。彼女の短編小説の中で、外国に行ったことのない南部の田舎の人たちとナチスのホロコーストが結びついていく作品がある。この作品に関してフラナリー・オコナーはこんなことを言っている。

「広島に落ちた原爆は、ジョージアの農村生活に対する私の判断に影響する」（前掲書「文学の教育は可能か」）

世界の暴力が田舎の物語にもつながる。

怒りから解放されたミルドレッドとディクソンは、静かに旅立つ。目覚めぬ者に恩寵をもたらすために。

第3章　なぜ観ているとこんなに眠くなるのか？
──『ツイン・ピークス　シーズン3　The Return』

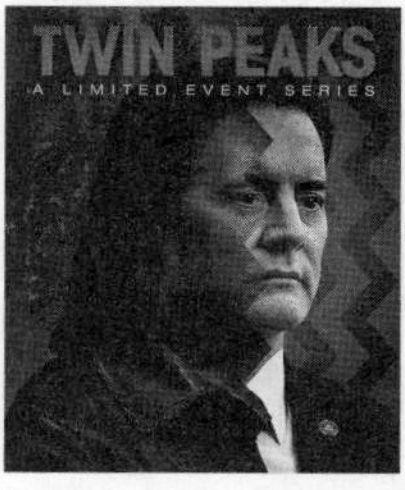

2017年／米国
監督・脚本：デヴィッド・リンチ
主演：カイル・マクラクラン
発売：NBCユニバーサル・エンターテイメント

過激なまでに、遅い。

『ツイン・ピークス　シーズン3　The Return』（後に『ツイン・ピークス：リミテッド・イベント・シリーズ』と改題。以下、『The Return』）の遅さは破壊的だ。リチャード・ベイマー（七十九歳、以下、いずれも公開時）、ロバート・フォスター（七十六歳）、マイケル・ホース（六十七歳）ら、お達者な方々のやりとりの遅さはもはや催眠術だ。

「保安官」

五秒経過。

「なんだ」

万事がこの調子。単にキャスト全体の高齢化のせいではない。デヴィッド・リンチは現場でつねに「もっと遅く！」と演出していたという。最近のアメリカ映画の目まぐるしい編集に慣れた目から見ると、この遅さはあまりに過激だ。

第7話、バング・バング・バーという酒場でブッカー・T&MGズの「グリーン・オニオン」をBGMに床を掃除する光景を固定カメラで撮り続ける。何が起こるんだろう、という期待は、二分後に裏切られる。何も起こらない。こんなシーンの連続なので、そのうちに何かが起こるという期待はだんだん薄れ、何も期待しないまま、リラックスして、遅すぎる展開に身を任せていくと、あることが起こる。

寝落ちだ。

うとうとして、目が覚めると画面では何も変わっていない。そのうちに画面を見ているのか、夢なのかわからなくなる。それがデヴィッド・リンチの狙いに違いない。リンチは映画を作るにあたって、瞑想という半覚醒状態によって、理性の奥深くに隠された無意識の井戸の底に降りて、アイデアを汲《く》み出そうとしてきた。

観るほうも、覚醒した理性で論理的にパズルを解こうとするべきではないだろう。過激な遅さに誘われて、夢とうつつの境界線上を漂いながらリンチの電波にチューニングするのが正しい鑑賞法ではないか。

劇中、セリフや歌詞で何度も「夢」という言葉が繰り返される。甘い、甘いオールディーズのポップスやステージでの曲も、けっしてダンスに誘う縦ノリのリズムではなく、眠りを誘う

我々の日常の外部には「もう一つの世界」があると
デヴィッド・リンチは考える

ゆらゆらふわふわした横揺れのリズム。

絶えず聞こえるインダストリアルなノイズ。それは、胎児が母の子宮の中で羊水を通して聴く血流の音ではないのか。赤ん坊を自動車に乗せるとすぐ眠るのは、轟音《ごうおん》と揺れが胎内を思い出させるからだという。

暗闇の中をまっすぐ伸びる車道。『ロスト・ハイウェイ』（1997年）と『マルホランド・ドライブ』（2001年）では作品のテーマになっていた夜の道路が、『The Return』でも何度も反復される。あのような夜道には催眠効果があり、居眠り運転の事故が多い。

「あの道は無意識に向かっているんだ」

筆者がマルホランド・ドライブにある自宅を訪ねたとき、彼はそう言った。誰の無意識ですか？

「私の。そして、君たちの」

何のために、無意識に降りていくのか？　「電気」をキャッチするためだ。デヴィッド・リンチには『イレイザーヘッド』（1978年）から一貫した世界観がある。『イレイザーヘッド』は、リンチがフィラデルフィアの美術学校にいた頃、恋人が妊娠した事実を基にしているが、映画の冒頭でクレーターだらけの謎の惑星の向こうに、肌のただれた男がいて、何かの機械のレバーを引くと胎児が生み出されるシステムが映し出される。その「惑星の男」は、人々の運命を司《つかさど》る、いわば神のような存在を意味している。

惑星の向こう側にある神々の世界というイメージは、フランク・キャプラ監督の映画『素晴らしき哉《かな》、人生！』（46年）の引用で、工場のような機械的なイメージは、『オズの魔法使』（39年）で機械を操《あやつ》るオズの魔法使いの影響だろう。とにかく、我々の日常の外側には、現実をモニターして操る管制室のようなものがある、というのがリンチの世界観なのだ。

そうした外側の世界は夢や瞑想で垣間《かいま》見ることができる。つまりそれは我々の意識下にある。また、リンチにとってアイデアとは、そこからの電気をキャッチすることなのだ。

『The Return』では第8話でそれが明確に描かれる。1945年、ニューメキシコの人類初の核実験によって、シリーズの悪役キラー・ボブの「球」が生み出される。世界に災いをもたらす邪悪な魂だ。

その光景を天文台のような建物にあるモニターで観ているのが、ダイドー（戯れ）夫人と巨人のファイアマン（消防士）。二人は『オズの魔法使』や『ワイルド・アット・ハート』（90年）における、良い魔女の役割で、悪玉ボブに対抗するため、善玉、すなわちローラ・パーマーの魂を作り出し、不思議な機械で地球に送り込む。

では、なぜそのローラが殺されたのか？　おそらくは、生贄として死ぬことで、永遠に若く美しい女神として世界を見守り続ける役割だったのだろう。キリストのように。

だが、クーパーは時間をさかのぼって、ローラが殺される前に救う。多くの視聴者が望んでいたことかもしれない。だが、それによって『ツイン・ピークス』の世界は消え、ローラは邪神にならずに堕落する。最後にローラ・パーマーの実家の住人として登場するのは、実際にその家に住んでいる女性だという。そして、五十歳で『The Return』に呼び戻されたシェリル・リーは、夢から無理に起こされた赤ん坊のように絶叫するのであった。

第4章　なぜ牧師は教会を爆破するのか？
――『魂のゆくえ』

2017年／米国・英国・オーストラリア
監督：ポール・シュレイダー
主演：イーサン・ホーク
発売：NBCユニバーサル・エンターテイメント

「生きるにも死ぬにも、汝のただ一つの慰めは何ですか？」

「体も魂も、生も死も、私のものではありません。私の真の救い主イエス・キリストのものです」

『魂のゆくえ』の牧師エルンスト・トラー（イーサン・ホーク）は、礼拝の最初にこの「ハイデルベルクの信仰問答」を信者とともに唱える。それはカルヴァン派の信仰の誓いであり、『魂のゆくえ』の監督ポール・シュレイダーが幼い頃から何千回も唱えてきた言葉だ。

「超越主義」

シュレイダーはカルヴァン派のオランダ改革派の家庭で厳格に育てられ、十七歳まで映画を観たことがなかった。彼の監督作『ハードコアの夜』（1979年）はオランダ改革派の父親が、

シュレイダー監督自身、厳格なカルヴァン派の家で育った

家出してポルノ映画女優になった娘を取り返そうとする映画だった。
シュレイダーはカルヴァン大学で神学を学んだが、映画に夢中になって大学院はUCLAで映画を学んだ。そして72年、神学と映画を結びつける評論『聖なる映画』を出版する。
その原題は『映画における超越的スタイル』。「超越的」とは、R・W・エマソンが提唱した「超越主義」、つまり教会や司祭を経ずに、直接、魂が神と接するような神秘体験を意味している。シュレイダーが言う「超越的スタイル」とは、物語やセリフではなく、映像そのものを通して観客に至高の体験をさせるテクニックを意味する。だからキリスト教についての映画に限らない。
『聖なる映画』でまず例に挙げられるのは小津安二郎《おづやすじろう》の映画である。スタンダードの画面、ローアングル、固定カメラ、徹底的に抑制され、ギリギリまで無駄を削《そ》ぎ落とした映像。それは観客には一種の苦行かもしれないが、一瞬の解放で魂が震える体験を与えるためなのだ。

それから四十五年を経て、七十歳を越えたシュレイダーが初めて『聖なる映画』を実践したのが『魂のゆくえ』なのだ。

原題は First Reformed、主人公トラーが勤める改革派教会の名前だ。トラーは日記をつけている。それは『聖なる映画』で論じられたロベール・ブレッソン監督の『田舎司祭の日記』(51年)をなぞっている。どちらの主人公も教会に勤めるが信者を失い、孤独で、神を疑い、酒に溺《おぼ》れ、ガンで死に近づいている。

トラーは絶望している。息子はイラク戦争に牧師として従軍して戦死した。戦争に反対だったのに息子を行かせたトラーを責めて妻は出ていった。

豊かさを説くメガチャーチ

トラーの教会は、アメリカ建国前から続いているが、経営は苦しい。近所のメガチャーチに信者を奪われたからだ。メガチャーチとは数千人を収容するスタジアム形式の巨大教会で、コンサートのようにショーアップされた礼拝で莫大な寄付を集める。

近所のメガチャーチの名前は「豊かな人生」。新約聖書「ヨハネによる福音書」10章10節

「わたしが来たのは、羊が命を受けるため、しかも豊かに受けるためである」に基づく。「豊かな人生」のジェフレス牧師の名前は、実在のテキサスのメガチャーチの牧師ロバート・ジェフレスから引用している。

トラーはジェフレス牧師から資金援助を受けているので、彼も「豊かな人生」で若い信者の教育を手伝う。しかし彼らは昇給とか金についての質問しかしないのでトラーは思わず「神と経済的豊かさは関係ない」と言う。むしろキリストは貧しい者に分け与えよと説いたのだ。

すると信者の一人は「貧乏人に憐れみなんかかけるな」と噛み付く。実はメガチャーチの多くが「チャーチ・オブ・プロスペリティ」と呼ばれ、経済的に成功するための秘訣を説くことで信者を集めているのだ。

環境破壊を放置する保守派キリスト教徒

トラーは信者メアリーから相談される。夫マイケルが生まれてくる子を望まないという。マイケルはトラーに「温暖化していく地球に生まれてくる子どもが不憫《ふびん》です。なぜ神やキリスト教徒は環境破壊に沈黙しているんですか?」と訴える。実は「豊かな人生」の最大の寄付者は地元の公害企業だった。実在のジェフレス牧師も、地球温暖化を否定し、パリ協定から脱退したトランプ大統領の熱心な支持者だ。

「彼らにとっては権力のほうが大事なんだ」

シュレイダーは言う。アメリカの保守的キリスト教会は1980年代以降、共和党の政治家とべったり癒着し、政治的な権力に食い込み、アメリカは神の国だと言って、聖書と星条旗を振りかざす。

「聖書には星条旗のことなんて一言も書いてない！」

トラーが叫んでも誰も聞いてくれない。地球が死にかけているのに。トラーと同じように。

トラーは『田舎司祭の日記』以外にも、イングマール・ベルイマンの『冬の光』（63年）の主人公トマスを基にしている。トラーと同じくトマスも信者のまばらな教会の牧師で、ベルイマンの父をモデルにしていると言われる。

トマスは信者の女性から「夫のヨナスが核戦争による地球滅亡を恐れて鬱になっているので、彼を安心させてほしい」と頼まれる。ヨナス（マックス・フォン・シドー）は「地球が滅びそうなのに神はなぜ何もしてくれないのか？」と尋ねるが、トマスは何も答えられず、ヨナスは自殺してしまう。

『魂のゆくえ』のトラーも、環境破壊による地球滅亡を恐れたマイケルに何も言えず、マイケルも自殺してしまう。

絶望するトラーにメガチャーチで働く女性エスターが近づく。メガネをかけた彼女のルックスは、『冬の光』でトマスの愛人を演じるイングリット・チューリンに似せたとシュレイダーは言う。彼をメガチャーチに取り込もうとするエスターをトラーは拒否する。

死に向かうトラーはトマス・マートンの著書にのめり込む。それは1915年生まれのカトリック修道士の自伝。彼は62年、当時核兵器を互いに突きつけていた米ソ冷戦に抗議して、国連本部で神に平和の祈りを捧げた。「わたしたちの子孫を破壊するのではなく、子孫を祝福するために、原子力をどう使うべきかお示しください」

妊娠してお腹がふくらんだメアリーはトラーを目覚めさせる。二人は宙に浮き、地球の苦痛の叫びを聞く。

「タルコフスキーへのオマージュだ」とシュレイダーは言う。

アンドレイ・タルコフスキー監督の『惑星ソラリス』(72年)、『鏡』(75年)、『サクリファイス』(86年)で、女性は空中を浮遊する。聖なる力の象徴として。

妊娠したメアリーはもちろん聖母マリアを意味している。『サクリファイス』の主人公も核戦争から地球を救うため、マリアという名の魔女を抱き、宙に浮かぶ。

トラーは「絶望は自惚《うぬぼ》れだ」と言う。それはトマス・マートンの言葉の引用だ。自分の確信と現実との食い違いから生まれる絶望は神の思し召しを認めない高慢さだというのだ。トラーはさらに「絶望は究極の自己愛だ」と日記に書く。「迷える自分という腐った贅沢を味わうために人々の救いに背を向けることだ」

トラーを演じるイーサン・ホークはカトリックとして育てられ、トマス・マートンがいたトラピスト修道院で学んだことがある。

マートンはトラーと同じく健康に問題を抱え、五十三歳のとき、入院した際に十九歳の見習い看護師マージー・スミスと恋に落ちたとも言われる。その二年後、タイ訪問中にコテージのベッドで扇風機を抱いた死体として発見された。扇風機のショートによる感電死とされた。

トラーは絶望をやめ、行動に出る。神が創りし自然を汚す金の亡者《もうじゃ》どもに自ら裁きを下すのだ。死を決意したトラーの姿は、シュレイダーが脚本を書いた『タクシードライバー』(76年)で背徳の街ニューヨークを44マグナムで浄化しようとした主人公トラヴィスにダブる。

主人公エルンスト・トラーの名前は、同名のドイツの孤独な革命家から取られている。トラーは第一次大戦後の1919年、バイエルンで革命を起こし、バイエルン・レーテ共和国の首班に就任したが、ひと月も持たずにドイツ中央政府に潰された。五年の刑を受けた後、アメリカに亡命するが、自分のきょうだいがナチに捕らえられたと知り、39年にマンハッタンで自殺した。

シュレイダーは「トラーの死にオーデンが捧げた詩がある。それが好きで、私はトラーを主人公の役名にした」と言う。

「友は哀しみ、敵は喜んでいる」

「癒えるには君は傷つきすぎたね」

「見るまえに跳べ」で知られる英国出身の詩人W・H・オーデンも、同性愛者であるがゆえにアメリカに逃げた。トラーも同性愛者だった（追悼詩は『もうひとつの時代』所収）。

『魂のゆくえ』の最後に奇跡は起こる。今まで動かなかったカメラがダイナミックに動き出す。それは『聖なる映画』でシュレイダーが論じたカール・テオドア・ドライヤー監督の『奇跡』（55年）のラストの引用だという。

「究極の希望は絶望の淵でこそつかめるのです。崖下に落ちたその瞬間、宙を歩いている自分に気づくのです」（トマス・マートン、“No Man is an Island” より）

第5章　なぜバス運転手は詩を書くのか？
――『パターソン』

ジム・ジャームッシュ監督『パターソン』（2016年）は、ニュージャージーに実在する町パターソンに住む、バス・ドライバーのパターソン（アダム・ドライバー）という男の一週間を描いている。

毎朝六時過ぎに起きて、シリアルの朝食を摂り、歩いて市バスの会社に行き、一日、バスを運転して家に帰り、妻と夕食を食べてから犬の散歩に出かける。その途中で同じバーに寄って、ビールを一杯だけ飲んで、家に帰って寝る。だいたい、その繰り返しだ。

そうした毎日の中で、パターソンは詩をノートに書き溜めている。特にランチタイムには必ず滝の見える公園に行って、そこで滝を見ながら詩を書くのが彼の日課だ。

『パターソン』は、予備知識なしで観ると、何についての物語なのか、まったくわからない映画の典型だ。

2016年／フランス・ドイツ・米国
監督・脚本：ジム・ジャームッシュ
主演：アダム・ドライバー
発売：バップ

パターソンに住むパターソンと『パタソン』という詩

実は、この映画は、ウィリアム・カーロス・ウィリアムズという詩人が、自分が住む町パターソンについて書いた『パタソン』（邦訳題・沖積舎）という長編詩を基にしている。

朝、パターソンが右腹を下にして妻と並んでベッドに寝ているのを真上から撮ったショット。これがすでにW・C・ウィリアムズの『パタソン』の冒頭部分の引用になっている。

「パセイック（川）が滝になって落ちる低い平地にパタソンは横たわる」（田島伸悟訳、以下、すべて同じ）

ジャームッシュは「これを読んだとき、いつかパターソンに住むパターソンという男の映画を作ろうと思った」と、NPR（公共放送）のインタビュー（16年12月27日）で語っている。

『パタソン』という詩は、パターソンという町自体を「パタソン氏」という名の巨人になぞらえ、その地形や歴史を描いている。映画『パターソン』ではそのパタソン氏をアダム・ドライバーが演じるわけだ。

では、パターソンの隣に寝ている妻は何か。W・C・ウィリアムズはこのように書いている。

「パタソンと向き合って、女体のように山が低く伸びる」

つまり、この夫婦が寝ているショットはパターソンという町の俯瞰《ふかん》図なのだ。

『パタソン』はこう続く。

「パタソン氏は引きさがって書く。バスの中にパタソン氏の想念がすわっている、立っている。氏の想念たちがバスを降り、散っていく――」

ウィリアムズは乗り合いバスの乗客たちをパタソン氏の「想念」としてスケッチしている。この一節があるから、ジム・ジャームッシュ監督はアダム・ドライバー扮するパターソンを、パターソンの町で働くバスのドライバーにしたわけだ。

カミングス、エリオット、ジョイスからの影響

『パタソン』はW・C・ウィリアムズ（1883年生まれ）が1946年から63年に亡くなるまで十七年間書き続けた長編詩。この詩は、三つの文学から大きな影響を受けている。

まず、E・E・カミングス（1894〜1962年）の詩。カミングスは文字の並べ方でリズムやビジュアル、動きなどを表現しようとした。『パタソン』でも、改行や活字の大きさ、それに文字を斜めに並べることで、言葉を視覚的、または音楽的に表現しようとしている。

次にT・S・エリオットの長編詩『荒地』（1922年）。『荒地』は一つ一つの言葉がさまざまな文学や歴史の引用であり、エリオット自身が書いた注釈や数々の固有名詞の知識なしには理解できない。『パタソン』も固有名詞が入り乱れる詩で、いちいち検索しないと理解不能だ。実は『パターソン』という映画にも、さまざまな実在の詩人の名前が言及されるが、それぞれ

バス運転手のパターソンがパターソンという町で暮らすのには意味がある

の詩人について知らないと、全体の意味はわからない。

W・C・ウィリアムズが影響を受けた三つめの文学は、ジェームズ・ジョイスの『ユリシーズ』（1922年）。『ユリシーズ』はダブリンに住む一人の中年男が、家を出てから帰るまでの一日を書いた小説だが、主人公が読む新聞の記事や広告、音楽の楽譜、収支報告書までが引用されている。『パタソン』もパターソン市の地元紙の古い記事や、個人的な書簡、1803年に死んだパターソンの住民の遺産目録などが引用される。

そうしてW・C・ウィリアムズは、歴史的資料、音楽、写真などを詩で表現して、パターソンという町のすべてを描こうとした。

散りばめられた歴史

たとえばこんな話が出てくる。

パターソンはもともと移民労働者の町だが、そうなったきっかけは最近、ブロードウェイで大当たりしているラップ・ミュージカル『ハミルトン』とつながりがある。

アレキサンダー・ハミルトンはアメリカ独立戦争の英雄であり、アメリカ合衆国憲法の制定者の一人。アメリカを農業国から工業国に転換させた偉人で、彼が工業化のモデル都市として選んだのがパターソンだった。

「すでに独立戦争のころからハミルトンはパセイック川の大瀑布の位置に目をつけていた。彼の豊かな想像力は、国の需要を満たしてくれる一大工業センターである大連邦都市を思い描いていた。ここには水車を回す水力があり、製品をいろいろな中央市場に運ぶための水路があったからだ」（『パタソン』）

当時はまだ蒸気機関も普及していないので、主たるエネルギー源は水力だった。その点、パターソンにはパセイック川が流れていて、工業化にふさわしかった。

こんな話もある。

「一八五七年二月、貧乏くつ屋のデビッド・アウアは、パタソン市の近くを流れるノッチ川でたくさんのイガイ（注・ムール貝のこと）を取った」

貧乏なアウア氏は家族と食べるためにムール貝を取っていたのだが、時々貝の中に真珠を見つけた。それを宝石商のところに持って行くと、二十五ドルから三十ドルで売れた。そこでさらに真珠集めをしたところ、巨大な真珠が見つかって、それが二千ドルで売れたという。十九世紀半ばの二千ドルだから、現在の貨幣価値に直せば数千万円になるだろう。なにしろ、この時代には養殖真珠は存在せず、天然物しかなかったので、時に真珠はダイヤモンドよりも高かった。

で、この話が広まってしまったために、パターソンに真珠を求めてアメリカ中の人が集まった。ゴールドラッシュならぬ、パールラッシュが起きたが、結局、誰も真珠を見つけることができなかった。そんな、パターソン市の奇妙なエピソードがいくつも『パタソン』には散りばめられている。

そんな『パタソン』の語り口を踏襲して、映画『パターソン』では、パターソンが運転するバスの乗客がパターソンの偉人たちについて話す会話が聞こえてくる。たとえば子どもたちはハリケーン・カーターについて話している。それはパターソンに生まれたルービン・カーターというボクサーのリングネームで、彼は黒人差別に基づく冤罪《えんざい》で、１９６６年に殺人罪に問われて収監された。75年、ボブ・ディランは彼の助命を求めて「ハリケーン」という歌を歌い、85年にハリケーンは釈放された。99年にはデンゼル・ワシントン主演『ザ・ハリケーン』として映画化されている。

また大学生二人がアナーキストについて話をしている。これも原詩に登場するガエタノ・ブレスキ（Gaetano Bresci）のこと。ブレスキはイタリアからアメリカに移住して、パターソンに暮らしたが、その後帰国して、1900年、イタリア国王ウンベルト一世を銃で暗殺している。

日常の奇跡

また、『パターソン』には、しばしば双子が出てくる。パターソンの妻が「双子を妊娠した夢を見たの」と話し、パターソンは何度も町中で双子を目撃するようになる。これもまた原詩『パタソン』の中にある。

「蕾《つぼみ》の少女二人、聖なるイースターを声高にことほぎながら（倒立した戸外の風景）重い空の下から（略）流れ落ちる髪の中で異質の二つ／そこでは何物も溶け合うことがない――二人は、なぜか同じ格好。一つの布地から切り取られたリボンで」

ジム・ジャームッシュによれば、脚本段階ではこの双子が出てくる予定はなかったそうだ。だが、パターソンでオーディションを行なったときに、たまたま双子が応募してきたので、双子のことをシナリオに書き足した。スタンリー・キューブリック監督『シャイニング』（80年）もスティーヴン・キングの原作には双子は出てこないが、オーディションに双子が来たので、彼女らを出すことにした。

同じように、パターソンの妻ローラはイラン系の女優（ゴルシフテ・ファラハニ）が演じているが、これは原詩とは関係ない。オーディションで彼女を気に入ったジャームッシュがイランの要素を加えることにした。実際、現在のパターソンにはイスラム系の住民が多い。そのためにパターソンの町はトランプ大統領から攻撃の対象になった。

9・11のテロの直後、パターソンのイスラム系住民が大喜びをしているというビデオがネットで拡散された。現在、このビデオは関係のない映像に「彼らは9・11を歓迎しているのだ」という嘘のコメントを付けたものだと言われているが、トランプ大統領はこのビデオを信じて「パターソンにはテロを歓迎するイスラム教徒がいる」と演説で語った。ジャームッシュはインタビューで、イスラムの要素は意識して入れたと言っている。

妻ローラは、趣味で自宅をペイントしているのだが、白地に黒い輪のような模様を家中に描いている。

パターソン夫妻はある晩、古い映画の二本立てを観にいく。一本めは『凸凹《でこぼこ》フランケンシュタインの巻』（48年）というコメディ・ホラーなのだが、この主演の漫才コンビ――昔のアメリカには漫才コンビがあったのだ――アボット&コステロの片割れ、ルウ・コステロは実はパターソン出身である。

もう一本は『獣人島』（32年）という、H・G・ウェルズの『モロー博士の島』が原作のホラー映画。動物を人間に改造しているマッド・サイエンティストのモロー博士を演じているのは名優チャールズ・ロートン。傑作『狩人の夜』（55年）の監督でもある。

この博士が豹を基にして作った獣人がパンサー・ウーマンで、まさに女豹のように主人公の青年を誘惑する。演じるキャサリン・バークは白人だが、肌を褐色に塗ってエキゾティックなエロチシズムを出している。パターソンは妻に「彼女、君に似ているよね」と言う。顔は似てないので、パンサー・ウーマンが着ている豹柄の衣装を見て、妻が家中に描いている模様を連想したらしい。こうした日常の小さな偶然、小さな奇跡を拾ってパターソンは詩を書いている。

赤い手押し車

パターソンは、毎晩、散歩に出て、その途中でバーに寄る。

そのバーではドクというマスターがパターソンの町に関係した著名人たちの写真や記事を「殿堂入り」と称して、壁に貼っていく。そこにはルウ・コステロのほかに、アレン・ギンズバーグの写真も貼られている。

アレン・ギンズバーグはビートニクスの詩人として、ボブ・ディランなどにも影響を与えたことで知られるが、このギンズバーグに影響を与えたのが『パタソン』のW・C・ウィリアム

パターソンの妻は家中を「豹柄」に変えていく

ズだ。

このバーのマスターが「殿堂入り」を決める際にこだわっているのが「有名かどうか」。

パターソンの妻ローラも「あなたの詩はいつか世界中の人が読むんだから、念のために書いた詩のコピーを取っておいて」という。

しかし、パターソン自身は有名になることには興味がなさそうだ。そもそもせっかく書いた詩を発表しようともしない。ただノートに書き溜めているだけだ。

『パタソン』のW・C・ウィリアムズも詩人として知られていたわけではなく、生涯、町の小児科の医者として働きながら、詩を書き溜めていた。

たとえば、W・C・ウィリアムズの詩「赤い手押し車」(23年)。

どれほどすがっているか
あの赤い手押し車に
雨のしずくで光っている
横には白いニワトリがいる

これはウィリアムズが小児科医としてある幼い女の子の家に往診をしたときの経験を基にして書いたものだ。その子がもう助からないとわかったとき、ウィリアムズの目に映ったのは雨の降る庭に置かれた赤い手押し車と、ニワトリだった。彼は、その子を救えるなら、そんなものにでもすがりたいと思った。そんなあふれ出す思いが詩になっただけで、発表するかどうかはどうでもいい。

同じように、パターソンもただ自分のために詩を書いている。

私は無名

このパターソンの町に暮らす詩人はパターソンだけではない。ある晩、彼はコインランドリーで一人、ラップの練習をしている黒人に出会う。演じているのは、ヒップホップグループ

「ウータン・クラン」のメソッド・マン。彼が何度も繰り返すフレーズがある。

「人はみんな俺のことをポール・ローレンス・ダンバーと呼ぶ」

ポール・ローレンス・ダンバーは、ラップの元祖と言われている詩人だ。南北戦争頃の南部で黒人奴隷の息子として生まれ、三十三歳の若さで亡くなった。意識的に黒人言葉を使った最初の詩人と言われている。たとえば当時の黒人奴隷たちは That を Dat と発音していたが、それを恥じるのではなく、「生きた言葉」として詩に用いた。ダンバーも商業的成功や名声とは無関係に自分のための詩を書いた。

パターソンは、エミリー・ディキンソンが好きな少女とも出会う。彼女は自分の書いた詩をノートに書き溜めている。エミリー・ディキンソンもそうだった。

エミリー・ディキンソンは１８３０年に生まれ、86年に五十五歳で生涯を終えたが、その間、ほとんど発表しないまま詩を書き続けた。死後、家族が引き出しを開けて、千七百以上もの詩を発見し、今日ではアメリカ最高の詩人の一人に数えられている。

ディキンソン自身は有名になることについては複雑な思いを持っていた。

「私は無名　I'm Nobody! Who are you?」という詩は、このように綴《つづ》られている。

有名になるなんて、むなしい

有名って、カエルみたい
自分の名前を六月じゅう
沼に向かって鳴きわめいている

その一方でディキンソンはこうも書いている。

成功の味は甘いと思うのは
成功の見込みのない人たち
成功の果実の味を知るには
痛いほどの乾きが必要なの

ディキンソンは名声への欲求と自意識との間に閉じ込められた囚人だった。

だが、たとえ彼女の詩が誰にも発見されなかったとしても、彼女は詩人である。芸術は結果ではなく、行為だからだ。

主人公のパターソンはバスの運転手として生活しているが、だから「彼の本業はバス・ドライバーで、詩は趣味にすぎない」と片付けることができるか。詩で食っていけてはじめて詩人と呼べるのであれば、W・C・ウィリアムズもポール・ローレンス・ダンバーもエミリー・ディキンソンも詩人ではないことになる。生前に一枚くらいしか絵が売れなかったゴッホは画家ではないのか？　生前には小説を発表しなかったカフカは小説家ではないのか？

わが秘密

パターソンの妻のローラを見てみよう。

彼女は一日中家にいて、壁を塗ったりカーテンを縫ったりしている。ただ純粋に自分自身が楽しいから。その一方で「カントリー歌手になって有名になりたい」とか「カップケーキでおカネを稼ぐんだ」と名声や成功を求めているようなことも言う。たいていの人は彼女のように「好きなことをやりたい」という気持ちと「人から認められたい」という気持ちが混在している。

ローラという名前は、劇中にあるように、ある詩から取られている。十四世紀イタリアの詩人フランチェスコ・ペトラルカは、聖職者の書記として働きながら、「ラウラ（ローラ）」という女性に向けたたくさんの恋愛詩を書いた。このローラがどのような女性であったか、今も謎に包まれている。

ペトラルカの著書で最も有名なのは『わが秘密』で、神学者アウグスティヌスと交《か》わした往復書簡という体裁で書かれた、一種の人生相談本である。アウグスティヌスは紀元四〜五世紀の人物で、ペトラルカより何百年も前に死んでいるから、往復書簡といっても実際はペトラルカの自問自答。この『わが秘密』も、ローラに捧げた詩も、誰に見せるためでもなく、自分自身の悩みや苦しみを癒やすために書かれている。

パーソニズム宣言

そしてパターソンがいつも持ち歩いているのはフランク・オハラの詩集。

フランク・オハラは１９２６年に生まれて、66年に交通事故で四十歳で亡くなった詩人。生前はニューヨークのグリニッジ・ヴィレッジを中心にしたアート運動で活躍した人で、彼らの活動はしばしば「ニューヨーク派」と呼ばれている。オハラはニューヨーク近代美術館（ＭＯＭＡ）のキュレーターをしながら、昼休みに詩を書いていたという。

ジム・ジャームッシュは「フィルム・コメント」誌のインタビューで、「『パターソン』という映画はＷ・Ｃ・ウィリアムズの『パタソン』以上に、フランク・オハラに影響を受けている」と言っている。

フランク・オハラは60年代のニューヨークの街を描く詩人だった。彼の詩には、おしゃれなニューヨークのライフスタイルが活写されている。ところがオハラはＷ・Ｃ・ウィリアムズの

『パタソン』に影響を受けたと話している。つまり、ギンズバーグもオハラもW・C・ウィリアムズに影響を受けているわけだ。

ただ、ジム・ジャームッシュが影響を受けたのは、フランク・オハラの詩ではなく、彼の「パーソニズム宣言」だと語っている。

『パーソニズム宣言』は59年、カウンターカルチャーのビッグ・ウェーブが到来する直前に、フランク・オハラが書いたアート宣言だ。

パーソニズムは「人間主義（ヒューマニズム）」でもなければ「個人主義（インディビジュアリズム）」とも違う。パーソニズムに相当する日本語はない。オハラは「特定の誰かのための表現」という意味で、パーソニズムを使っている。

つまり不特定多数の人に読まれ、鑑賞されるための創作ではなく、ある特定の人、具体的には自分の愛する人に向けてのみ作られた芸術のことだ。だから、詩を書くときに韻律やリズムなどは気にしなくていいとも言っている。本当に素晴らしい表現とは、愛する人への気持ちをストレートに表わしたものであって、技巧はどうでもいい。だから、「このパーソニズム宣言で文学は終わるのだ」とオハラは言っている。

パーソニズム宣言に影響を受けたジム・ジャームッシュは、インタビューで「『これを発表したら世間はどう思うかな』と思った瞬間にアートはダメになる」と語っている。大衆受けを意識するのはコマーシャリズム（商業主義）であって、アートからは遠くなる。「映画は世間に対するメガホンではない」ともジム・ジャームッシュは言う。つまり、演説するように映画を作ってはいけない、と。

もちろん、これには反対意見もある。

事実、ジム・ジャームッシュは「このことをベルトルッチに話したら怒られた」とインタビューで語っている。『ラスト・タンゴ・イン・パリ』（72年）の監督ベルナルド・ベルトルッチは「そんな『芸術』は一握りのインテリやエリートのためのものでしかない」と言ったそうだ。ジャームッシュも、独りよがりではダメだと言っている。誰か特定の人に自分の気持ちがきちんと伝わるように心を紡ぐことによって、似たような気持ちを持っている世界中の不特定多数の人にも届くはずだと。

アール・ブリュットの詩人

ローラの心配は的中し、パターソンの詩作ノートはコピーを残す前に、飼い犬に嚙みちぎられてバラバラになってしまう。「犬に食われる」という英語の表現がある。たとえば学校の先生が宿題をやってこなかった生徒に「宿題をどうした？　犬にでも食われたのか」と言ったりする。でもパターソンの場合は本当に犬に食われてしまうというジョーク。

打ちひしがれたパターソンは、肩を落として、いつもの滝が見える公園に行く。そこに永瀬《ながせ》正敏《まさとし》が、日本から来た『パタソン』のファンとして登場する。永瀬正敏も主人公のパターソンと同じく、誰に発表するわけでもなく、自分のノートに詩を書き続けているという。

二人は、ジャン・デュビュッフェ（1901～85年）というフランスの画家について会話をする。

ジャン・デュビュッフェは彼自身の作品以上に「アール・ブリュット」の提唱者として知られている。アール・ブリュットは英訳すれば raw art（ロー・アート）、つまり「生《なま》の芸術」という意味。

デュビュッフェはフランスやスイスの精神病院を訪れ、患者たちが描いた絵を蒐集し、これこそが本物の絵だと主張した。そうした患者たちの描く絵には「人から褒められたい」「有名になりたい」「認められたい」「カネを儲けたい」などという娑婆《しゃば》っ気がない。自分自身のため、自分自身を癒やすためだけに描かれた絵だ。子どもが描く絵のように純粋な芸術ではないか、と。

こうした絵は、アウトサイダー・アート、アントート・アート（教育を受けていない芸術）とも言われる。主人公のパターソンもおそらく正規の詩の教育を受けていないと思われる。彼は前に海兵隊にいたと言っているので、独学で詩を書き始めたのだろう。彼はアール・ブリュットの詩人なのだ。

これまで書き溜めた詩のノートを失ったパターソンに、永瀬正敏は白いノートをプレゼントする。「何も書かれていないページのほうが可能性があるんだよ」と。

この映画を通して、パターソンはさまざまな偶然や奇跡を経験してきた。この永瀬正敏は詩の神の化身だと言ってもいいだろう。彼はパターソンに「何のために詩を書くんだい」と問いかけているのだ。

パターソンは有名になってバーの壁に写真を貼られたいから詩を書いていたわけじゃない。パターソンが書いていたのは、愛するローラのための詩だった。

「僕はマッチで、君はタバコ。いや、僕がタバコで、君がマッチなのかな」

詩としては稚拙かもしれない。だが、これこそ無償の芸術、見返りを求めない芸術。見返りを求めないものとは何か。

愛だ。


(ジム・ジャームッシュの発言は主に「タイム」誌2016年12月21日号に拠る)

第6章　なぜデザイナーはハングリーなのか？
——『ファントム・スレッド』

2017年／米国・英国
監督・脚本：ポール・トーマス・アンダーソン
主演：ダニエル・デイ＝ルイス
ビッキー・クリープス
発売：NBCユニバーサル・エンターテイメント

「最初は幽霊話にするつもりだったんだ」

『ファントム・スレッド（幽霊の縫い糸）』の監督ポール・トーマス・アンダーソン（以後、ＰＴＡと略称）は、筆者とのインタビュー（２０１８年4月19日、ロサンジェルス）でそう語った。

でも、そうならなかった。理由は二つ。

ＰＴＡは幽霊が怖くなかったこと。そして、インフルエンザにかかったこと。

優雅で完璧なオフュルス風カメラワーク

『ファントム・スレッド』の舞台は１９５０年代のロンドン。主人公は世界的な高級ドレスメーカー、レイノルズ・ウッドコック（ダニエル・デイ＝ルイス）。スペイン出身のクリストバル・バレンシアガをはじめ、何人かのデザイナーをモデルにしたとＰＴＡは言う。

「ファッションにはまるで興味がなかったけど、デザイナーという人たちが面白くて」

ウッドコックは完璧主義者だ。ラフマニノフ調のエレガントなピアノをバックに、彼の朝の儀式が描かれる。ひげを剃り、靴を磨き、鼻毛を切り、耳たぶの毛も切り、髪を整え、靴下を履《は》き……。その仕草から、彼が一ミリのミスも見逃さない、神経質な男だとわかる。

ウッドコック邸に出勤したお針子さんたちが階段を上っていく。それを捉えるカメラの動きも流麗だ。自ら撮影を担当したPTAは「マックス・オフュルスのカメラの動きを目指した」と言う。

マックス・オフュルスは1902年にドイツに生まれたが、ユダヤ人だったのでナチスが政権を取った33年にフランスに亡命、フランスがナチスに占領されたのでさらにアメリカに亡命し、48年にはハリウッドで、ジョーン・フォンテーン主演の『忘れじの面影』（原作はナチスからの亡命作家シュテファン・ツヴァイクの小説）などのメロドラマを撮っている。

オフュルスは浮遊するようなカメラワークが有名で、ステディカムのなかった時代に、登場人物たちを優雅に追いかける映像は魔法のようだ。2013年、オフュルスの名作のリマスターDVD（『たそがれの女心』クライテリオン）が発売された際、PTAは特典映像でそのカメラワークの素晴らしさを解説している。

さて、ウッドコック邸の朝食。ジョアンナという美しい女性がウッドコックに菓子を勧めると彼はデザインをスケッチしながら冷たく言う。

「胃にもたれるものは嫌いだと言っただろう」

それを聞いてジョアンナはむっとする。

「私は言われてない。他の誰かさんに言った言葉でしょ？」

彼は、次々と相手の女性を替えているらしい。

ウッドコックの姉で、彼のマネージャーであるシリルがこのジョアンナを追い出す。つまり、ウッドコックは気に入った女性をお針子やモデルとして雇っては、彼女たちが女房気取りになってくると面倒臭くなって捨ててしまうのだ。

幽霊の縫い取り

すでに白髪頭のウッドコックが結婚しないのは、自分のペースを守りたいのと、幽霊のせいである。

ウッドコックは気分を変えるために、海辺の田舎町にドライブに行く。たまたま入ったレストランで、アルマというウエイトレスに何かを感じ、彼女を自分の別荘に誘う。

「君ってお母さんに似ている？」ウッドコックは尋ねる。「お母さんの写真を見せてもらえるかな」

彼がアルマに感じたのは、母だった。

ウッドコックが最初に作ったドレスは、母の再婚のために作ったウェディング・ドレスだった。しかし、母はそれを着ることなく亡くなった。

「その呪いで僕は結婚できないんだ」とウッドコックは言う。

「僕はいつも母さんの髪の毛を服に縫い付けて持ち歩いているんだ」

ジェーン・エアとレベッカ

最初、ゴースト・ストーリーを作ろうと思っていたPTAが研究したのは、まず、二十世紀前半に活躍したM・R・ジェームズ（モンタギュウ・ロウズ・ジェームズ）という作家の残した短編の幽霊物語。それにゴシック・ロマン。なかでもシャーロット・ブロンテの小説『ジェーン・エア』（1847年）だ。

貧しい孤児だが勤勉な少女ジェーン・エアは、成長して、貴族の養女の家庭教師に雇われる。当主ロチェスター卿は気難しい男だったが、やがてジェーンと愛し合うようになる。ただジェーンを悩ませるのは、夜ごとに屋敷のどこかから聞こえてくる奇怪な笑い声。その正体は発狂したために幽閉されたロチェスター卿の妻だった。

貧しい娘が大富豪に見初められるが、その屋敷に残る前妻の影に苦しめられるというゴシッ

ウッドコックはアルマに「母」の幻影を見る

ク・ロマンのプロットを『ファントム・スレッド』もなぞっている。ただ、ヒロインのアルマを困らせるのは、ウッドコックの前妻ではなく、母なのだが。

さらにＰＴＡは参考にした作品として『レベッカ』を挙げた。

『レベッカ』は１９３８年にイギリスの女性作家ダフネ・デュ・モーリアが書いた小説で、40年、アルフレッド・ヒッチコック監督がジョーン・フォンテーン主演で映画化した。

『レベッカ』の主人公である「私」は裕福でないアメリカ人だが、金持ちの女性の世話係としてやってきたモンテカルロで、イギリス人の貴族と出会って恋に落ち、花嫁としてコーンウォールにある彼の大邸宅に迎えられる。夫はレベッカという前妻を亡くしていたが、「私」は屋敷の中に、死んでいるはずのレベッカの存在を感じ、精神的に追い詰められてゆく。

『レベッカ』も『ジェーン・エア』にヒントを得ている。

映画『レベッカ』がヒットすると、似た映画が何本も作られ、フリッツ・ラング監督も1947年に『扉の陰の秘密』を撮っている。大金持ちの建築家と結婚したヒロインが「夫は何かに取り憑かれている」と感じて、その謎を探っていく、ゴシック・ロマンの典型的パターンだが、呪いの正体は彼の母親だったとわかる。ウッドコックのように。

ただ、『ファントム・スレッド』はゴシックにもサスペンスにもならなかった。

PTAは、ゴシック・ロマンとその周辺作品を研究している間に「男女の力関係が逆転していくことに興味が移ってしまった」と言う。

ハングリー・ボーイ攻略戦

別荘でアルマとウッドコックはにらめっこをする。日本のにらめっこは先に笑ったほうが負けだが、イギリスやアメリカでは目を逸らしたほうが負け。アルマは「にらめっこしたら、私は負けない」と言う。ここから、ウッドコックという難攻不落の城を攻め落とそうとするアルマの戦いが始まる。

レストランでウェイトレスをしていたアルマを初めて見たウッドコックは、けっこうな量の料理を注文し、アルマに「ハングリー・ボーイね」とからかわれる。ウッドコックの食欲は創作意欲とリンクしており、アルマはそれを駆り立てるミューズなのだ。「君にドレスを作るとお腹が空くんだよ」と言ってウッドコックがタルタルステーキを頼むシーンもある。

ウッドコックの胃袋とインスピレーションを掴んだアルマは、ロンドンのウッドコック邸に、住み込みのモデルとして迎えられる。しかし、ウッドコックはアルマに別の部屋をあてがう。「僕は隣の部屋で寝る。明日は起こしてあげる」ウッドコックはアルマをセックスの対象としては見ていない。彼女は理想のトルソーでしかない。女性として、人間として認めていない。

「私、この生地は好きじゃない」アルマが言うと、ウッドコックは「うちの顧客はみんなこの生地が好きだ。そのうち、君もテイスト（味覚・趣味）が変わって好きになるさ」と言う。

「私のテイストは変わらないかも」

「君にテイストなんてあるもんか。この話は終わりだ！」

ウッドコックとは「木のペニス」という意味。デカいけどハッタリの男根主義。しかもマザコン。

PTAの男根主義者たち

PTAの映画にはそんな主人公が多い。『マグノリア』（1999年）ではトム・クルーズがモテ男になるための自己啓発セミナーの講師を演じ、「女なんか誘惑して捨てちまえ」「ペニスを敬《うやま》え」と叫び、なぜか白ブリーフ一丁で股間を強調する。『ブギーナイツ』（97年）の主人公（マーク・ウォールバーグ）は巨大なペニス以外に何の取り柄もないポルノ男優だった。

しかも、ＰＴＡ映画の男根主義者たちは、自分の怒りをコントロールできない。『マグノリア』のトム・クルーズしかり、『パンチドランク・ラブ』（２００２年）のアダム・サンドラーしかり、『ゼア・ウィル・ビー・ブラッド』（07年）のダニエル・デイ＝ルイスしかり、『ザ・マスター』（12年）のホアキン・フェニックスしかり。みんな怒りを暴走させて周囲を傷つける。そこにはＰＴＡ自身の問題も少なからず反映されているだろう。

そんなウッドコックの男尊女卑ぶりを見せつけられたアルマは反撃に出る。

「あなたはハングリーじゃなくて、サースティ thirsty なんでしょう?」と言う。サースティ（喉が渇いている）には、「性的に飢えている」という意味もある。

ウッドコックは初めて彼女とセックスをする。最初の壕《ほり》は埋められた。

翌朝、ウッドコックはさっそく後悔し始める。朝食の間、アルマは引っ切りなしに音を立てる。トーストにバターを塗る音、お茶をカップに注ぐ音、フォークやナイフもカチャカチャうるさい。「まるで部屋の中を馬が走ってるみたいだ!」

大富豪のウェディング・ドレス

ウッドコックの壕をさらに埋めたのは、大富豪バーバラ・ローズのための仕事だった。

「ローズさんのウェディング・ドレスを作ってあげて」マネージャーである姉のシリルが言う。

「大口の顧客だから」

バーバラ・ローズはドリス・デュークという実在の女性がモデル。アメリカ最大のタバコ会社アメリカン・タバコ・カンパニーの創業者の一人娘として生まれたドリスは、父の死後、莫大な財産を相続した。1947年、ドリスはポルフィリオ・ルビロサというドミニカ人のカー・レーサーと再婚する。『ファントム・スレッド』で描かれるのはその結婚式だ。

ルビロサは、次々と大富豪の女性の財産目当てで結婚と離婚を繰り返す、悪名高いプレイボーイで、大藪春彦《おおやぶはるひこ》の小説『汚れた英雄』は彼にヒントを得て書かれた。37年、二十八歳のルビロサは、母国ドミニカの独裁者ラファエル・トルヒーヨ大統領の娘と結婚し、パリにドミニカの特命全権大使として赴任し、戦時中のヨーロッパ社交界にデビューした。『ファントム・スレッド』で、「あいつはユダヤ人にドミニカの入国許可を売りつけて金儲けした」と噂されるようなことをしていたらしい。

42年、ルビロサは離婚して、マックス・オフュルス監督『輪舞』(50年)に主演したフランスの美人女優ダニエル・ダリューと再婚。五年後に大富豪のドリス・デュークと結婚したとき、ドリスはルビロサの代わりにダニエル・ダリューに莫大な手切れ金を払った。

ルビロサとドリスの結婚は一年あまりしか続かなかった。ドリスはそれ以後、二度と結婚しなかったが、ルビロサのほうはすぐにバーバラ・ハットンと四度目の結婚をする。ハットンはウールワースというスーパーマーケット・チェーンの創業者の子孫で、もちろん大金持ちである。バーバラ・ハットンは生涯七回結婚をしているのだが、そのうち、まともに仕事をしていたのは俳優のケーリー・グラントだけで、あとはみな財産目当ての男たちだけだった。

ポルフィリオ・ルビロサは50年と54年のルマン24時間レースに出場。五十六歳の時、フェラーリで公道を走っているときに立木に激突して亡くなった。

『ファントム・スレッド』で、バーバラ・ローズに自分のドレスを着られたウッドコックは、結婚式の最中、ずっと不機嫌だ。彼にとって彼のドレスが何よりも美しく見えることが重要で、バーバラが自分のドレスを着ていることに耐えられない。

その心中を察したアルマは「あのドレスは彼女にふさわしくない」とウッドコックに泣いて訴え、二人で、バーバラが酔いつぶれている部屋に入って、強引にドレスを奪ってしまう。

これでアルマは仕事においてもウッドコックのテイストの最大の理解者であることを示し、姉シリルよりも高いポイントをゲットした。

アルマはウッドコックを「再教育」しようとするのだった

恋と戦争は手段を選ばず

　でも、まだウッドコック城は本丸を守っている。

　アルマの作ったディナーにウッドコックは怒り出す。

「私がいつもグリーン・アスパラガスをオリーブ・オイルと塩で食べるのを知っていながら、どうして、溶かしバターをかけるんだ！」

　ウッドコックは自分のテイストをアルマに侵されたのが耐えられない。

「なんでこんな不意打ちをする？　殺す気か？　君は誰かの回し者か？」

　しかし、アルマは一歩も引かない。

「私はあなたのゲームになんか付き合う気はないわよ」

「俺がいったいいつゲームをした」

　ウッドコック要塞攻めというゲームはとっくに始まっているのに、彼は気づいていない。

　アルマは禁じ手を使う。毒キノコを使った料理をウッドコックに食べさせる。ウッドコックは食中毒で倒れ、せっかく仕上げたベルギーの王女のためのウェディング・ドレスを台無しにしてしまう。

式は翌日だ。お針子さんたちは徹夜でドレスを修復する。アルマは気にしていない。こんなことわざがある。All is fair in love and war.（恋と戦争は手段を選ばず）ウェディング・ドレス修復の手伝いをしながら、アルマはドレスの裾に縫い込まれた刺繍文字（ファントム・スレッド）を見つける。「けっして呪われないように never cursed」と書かれていた。

その間、食中毒で寝込んでいるウッドコックは、母の幽霊（ファントム）を見る。ウッドコックは懐かしそうに「そこにいたんだね。僕はいつもお母さんのことを思っていたんだよ」と語りかける。

「幽霊を扱ってもホラーにならなかった。僕は幽霊が怖くないから。愛する人に死んでも会えるなら、いいことだと思うから」

PTAは言う。

「スタンリー・キューブリックは『シャイニング』を監督したとき、幽霊は楽観的なものだと言っている。それは霊魂の不滅、死後の世界を信じることだから」

だが、ウッドコックの母の霊は、アルマが入ってきたときに消える。アルマは母親のように甲斐甲斐しくウッドコックを看病する。

弱り切ったウッドコックはいつもの尊大さを失い、ついにアルマに「降参」する。徹夜明けでソファで眠っているアルマの足にウッドコックは口づけをし、求婚する。

毒と野獣

「毒はゴシック・ロマンの重要な小道具だよ」

PTAは言う。

毒をめぐる物語では、『レベッカ』の原作者ダフネ・デュ・モーリアが1951年に書いた『レイチェル』がある。52年に、ジョーン・フォンテーンの姉オリヴィア・デ・ハヴィランド主演で映画化されている。

レイチェルという女性が貴族アンブローズの妻になるが、その貴族は謎の死を遂げる。レイチェルは未亡人として、アンブローズの大邸宅にやって来る。財産目当てでアンブローズを毒殺したのではないか、従弟フィリップはレイチェルを疑うが、彼女の美しさの虜《とりこ》になってしまう。そして薬草に詳しいという彼女が煎《せん》じる謎の薬草茶を勧められるままに飲む。アンブローズを殺した毒かもしれないのに。案《あん》の定《じょう》、フィリップは次第に弱っていく……。

「ジャン・コクトーの『美女と野獣』（46年）も参考に観直した」

最初、野獣は威厳を持って振る舞い、ヒロインのベルは野獣に怯えているが、次第にその立場は逆転していく。ベルが病気の父のために里帰りすると、野獣はベルと離れた寂しさに耐えられず、衰弱してしまう。帰ってきたベルは、哀れな野獣を母親のように慈《いつく》しむ。彼女の顔に浮かぶのは、勝利の微笑ではないか。

マイ・フェア・レディ

アルマはウッドコックにプロポーズさせた。でも、それで「めでたし、めでたし」では終わらない。結婚は本当の「ゲーム」の始まりにすぎない。

ウッドコックとアルマは新婚旅行でヨーロッパに行く。その初日、アルマが音を立てながら食事するのを見て、ウッドコックはさっそく後悔し始める。

食後、二人はバックギャモンをする。バックギャモンはこの時代、上流階級が楽しむゲームだった。庶民の出であるアルマをウッドコックは容赦なく負かしてしまい、アルマは怒って席を立つ。男と女のゲームはどちらの腕が上なのか。

一人になったウッドコックに、上流階級の女性が近づいて言う。

「差別するわけじゃないけど、あなたの奥さんの国では泥棒や暴力は普通らしいわね」

はっきりとは示されないが、アルマはナチスの支配する東ヨーロッパからイギリスに逃げた移民らしい。

「この西欧文明を築いたのは我々です」

大晦日の夜、ラジオが「ホワイトマンズ・バーデン」、つまり有色人種を導く白人の責務について話している。アルマは白人だが、貧しい移民の女性だ。アルマとウッドコックの「ゲーム」は、男女だけでなく、身分違いの二人の階級闘争でもある。

その意味でこれは『マイ・フェア・レディ』（1964年）でもある。

『マイ・フェア・レディ』は、階級差がひどかった二十世紀はじめのロンドンが舞台。言語学者のヒギンズ教授（レックス・ハリスン）が下町の市場コヴェント・ガーデンで花売りをしている貧しく野卑な少女イライザ（オードリー・ヘップバーン）に、正しい英語を教えて、社交界に通用するレディに育てることができるかを実験する。

ジェーン・エアが貧しいながらも教養を身につけて、貴族のロチェスターを魅了したように、イライザは自立した女性に成長し、そんな彼女にヒギンズ教授は心から恋している自分に気づき、立場は逆転する。

イライザが「踊り明かそう」を歌うように、アルマは大晦日の夜、「新年のパーティに踊りに出かけましょう」とウッドコックを誘うが、ウッドコックはそんな暇があったら仕事をする、と拒絶する。怒ったアルマは深夜のロンドンに一人で出かけてしまい、ウッドコックは「せいせいした。これで仕事に集中できる」と言うのだが、アルマが気になって全然仕事が手につかず、結局、パーティ会場に彼女を捜しに行く。

思わず苦笑いさせられる展開だが、これも明らかに『マイ・フェア・レディ』でヒギンズ教授と喧嘩をしたヒロインのイライザが外に飛び出して、それをヒギンズ教授が捜しに出かけるくだりを基にしている。

ちなみにPTAは70年代のハードコア・ポルノ業界を描いた『ブギーナイツ』を作った際、ハードコア・ポルノの必見作を何本か推薦しているが、その中に『ミスティ・ベートーベン』(76年)という映画がある。監督はラドリー・メツガー。60年代から女性解放の立場でポルノ映画を撮り続けた異才。

『ミスティ・ベートーベン』はポルノ版『マイ・フェア・レディ』だ。ヒロインのミスティは教養のない街娼だが、ラブ・ドクターを自称する男に教育されて、一流のコールガールに成長する。彼女を商品としか思っていなかったラブ・ドクターはやがて彼女の虜になり、主従が逆転する。

インタビューのとき、PTAは『ミスティ・ベートーベン』のことをすっかり忘れていて、筆者に『ファントム・スレッド』との類似点を指摘されてから、やっと気づいてこう言った。

「頭では忘れていても、血肉になってるんだね。若い頃に観た映画は」

ウッドコック陥落

こうした「最初に折れたほうが負け」な、にらめっこゲームを繰り返すうちに、ウッドコックはどんどん戦線を撤退し、いよいよ天守閣まで追い詰められていく。

最後の一線を守るため、ウッドコックはとうとう姉のシリルに「離婚しようと思う」と相談する。それを立ち聞きしたアルマは、一気に攻撃を仕掛ける。ふたたび、ウッドコックに毒キノコを食べさせるのだ。

ただし、今回はわざと彼の目の前でキノコを料理する。しかも、彼のテイストではないバター・ソテーにして。

それを見るウッドコックの顔にカメラがズームする。彼は気づいた。「王女のドレスに倒れてしまったときにも彼女のキノコ料理を食べさせられた」と。

アルマはわざとわからせたのだ。そして、じっと彼の顔を見つめる。まさににらめっこゲーム。

ウッドコックは彼女の顔を見ながら、毒キノコ料理を一口食べてみせる。ただし、呑み込まない。

そこで彼女は呪文のように彼に語りかける。

「私はあなたにベッドで寝てもらいたいの……弱ってほしいの……優しくなってほしいの……

心を開いて……私だけを頼りにして……そうしたら、またあなたは強くなれるはず……大丈夫、あなたは死なないから……あなたは死にたいのかもしれないけれども、死なないわ……ちょっとだけ休みを取るだけのことよ」

そして、ついにウッドコックは彼女の目を見つめながら、毒キノコ料理を呑み込んで微笑む。

「具合が悪くなる前にキスをしておくれ」

ギブアップ。

ウッドコックが陥ちたところで、アメリカの映画館では、笑いと喝采が起こった。

インフルエンザがもたらした物語

このクライマックスにも原型がある。

まず、ダフネ・デュ・モーリアの『レイチェル』で、従兄を毒殺したかもしれないレイチェルが煎じた薬草茶をフィリップが飲む場面。

それに、フランシス・アイルズの小説『レディに捧げる殺人物語』（1932年）。

これは41年に『レベッカ』と同じヒッチコック監督、ジョーン・フォンテーン主演で『断崖』という邦題で映画化されている。

ヒロインはハンサムな男（ケーリー・グラント）と結婚するが、それが実は無一文の怠け者で、ギャンブルと女が大好きなろくでなしだと気づく。しかも保険金目当てで彼女を毒殺しようとしているらしい。

だが、『断崖』のラストで、すべてはヒロインの誤解だったとわかり、唐突なハッピーエンドで終わる。原作の『レディに捧げる殺人物語』の結末は違う。ヒロインがインフルエンザで倒れると、夫が飲み物を持ってやってくる。あの飲み物には毒が入ってるのだろう、自分はインフルエンザで死んだことにされるのだろうとヒロインは予感する。だが、そこで彼女はあえてその飲み物を飲み干す。それが、彼への愛の証しだから。

物語はそこで終わっている。彼女が飲んだのは毒だったのかどうか、わからない。

「そんな映画や本を研究していた僕は、インフルエンザにかかって、高熱で倒れたんだ」

病に伏したPTA。すると、妻のマーヤ・ルドルフ（『サタデーナイト・ライブ』出身のコメディエンヌ）が優しく介抱してくれた。「でも、妻はどことなく嬉しそうだったんだ」

それは嬉しいだろう。PTAはウッドコックのように、仕事のことしか眼中にない男だったという。でも、それが熱を出して、ずっと家にいて、子どものように自分を頼ってくれるのだから。

そんな妻を見ながら、熱でうなされるPTAは、『レイチェル』や『美女と野獣』や『レディに捧げる殺人物語』と現実の区別がつかなくなっていったという。

「ひょっとして自分の病気は、妻に毒を盛られたせいじゃないか」

そこから『ファントム・スレッド』のストーリーが芽生えていった。

「すると『ファントム・スレッド』は、あなたの個人的な経験についての映画なんですか？」

そう尋ねると、彼は笑って答えた。

「これに限らず、僕の映画はどれも自分自身の個人的な話だよ」

言われてみると、筆者が最初にＰＴＡにインタビューしたのは、彼が『パンチドランク・ラブ』を作ったときだった。あれは癇癪持ちの男が愛する女性を見つけて救われる話だったが、ちょうどその頃、彼はマーヤ・ルドルフと暮らし始めたのだ。

男たちの教育

「僕の映画はどれも自分自身の個人的な話」とＰＴＡは言った。

『マグノリア』のトム・クルーズは幼い頃に自分と母を捨てた父を憎むが、ガンで死にゆく父に再会して和解する。ＰＴＡも幼い頃に離婚して家を出た父アーニー・アンダーソン（俳優）を憎んでいたが、父がガンで死ぬ間際に再会して和解した。

「ウッドコックは母の幽霊を見ますが、あなたはお父さんの夢を見ますか？」

そう尋ねると、ＰＴＡは「たしかに時々、父親のことを夢で見る」と認めた。「本当はもっと会いたいんだけれど」

ＰＴＡの映画には父親的存在を求める男の物語が多い。長編デビュー作『ハードエイト』（97年）ではギャンブラー志望の若者が老殺し屋を、『ブギーナイツ』のポルノ男優はポルノ映画監督を、『ザ・マスター』の孤独な帰還兵は新興宗教の開祖を、父のように慕う。

父亡き後、ＰＴＡはジョナサン・デミ監督を師と仰ぎ、父子のように親密にしていた。そのジョナサン・デミ監督は『ファントム・スレッド』公開の直前（２０１７年4月）に亡くなり、この映画は彼に捧げられた。

「デミ監督の『羊たちの沈黙』（91年）も、『ファントム・スレッド』に似ていますね」と言うと、ＰＴＡは「え？　どこが？」と尋ね返して、自分でハンニバル・レクター博士とウッドコック、クラリス・スターリングとアルマの共通点を数え始めた。引きこもりで尊大な男、貧しい田舎者のヒロイン、男はメンター気取りでヒロインを教育するが、ヒロインは彼の予想を超えて才能を開花させ、そんな彼女を男は愛し、立場は逆転する……。

「たしかに……でも、それは影響を受けたんじゃなく、そういう物語の『型』があるんだよ」

その「型」は、『美女と野獣』、『ジェーン・エア』、『レベッカ』、『マイ・フェア・レディ』、『ミスティ・ベートーベン』、『羊たちの沈黙』と引き継がれ、今、『ファントム・スレッド』があるんだと。

この「型」は「スクリューボール・コメディ」にも通じる。1930年代から40年代にかけてハリウッドで大量生産された一群のロマンチック・コメディ映画のこと。フランク・キャプラ監督の『或る夜の出来事』(34年)、ハワード・ホークス監督の『赤ちゃん教育』(38年)などが代表作。スクリューボールとは変化球のことで、話がどこに転がっていくかわからないおかしさを意味する。

その基本的な「型」とは、まずハンサムな独身男が主人公として登場して、「結婚なんかつまらない」「女に縛られる生活なんかまっぴらだ」とうそぶく。そこにヒロインが現われて、二人は一緒に仕事をする羽目になる。男は最初、上から目線で女性を教育しようとし、二人はいがみあうのだが、男はだんだんと彼女の賢さ、勇気、優しさに気づき、恋に落ちて、彼女に求婚する。ウッドコックやヒギンズ教授、レクター博士と同じく、教育され、成長したのは、実は男たちのほうだったのだ。

幸福と快楽は別物である

ウッドコックが回復した後、アルマに子どもができて、ウッドコックとアルマ、シリルと赤ん坊の四人で幸福に暮らす姿が映し出される。

この風景は、マックス・オフュルス監督の『快楽』(1952年)に通じている。

『快楽』は三部構成のオムニバス映画で、そのうち「モデル」という話が、『ファントム・スレッド』と実によく似ている。

ある画家が、ウッドコックのように一人の女性と出会って、彼女をモデルに、次々と素晴らしい作品を描くようになるのだが、しかし、自由に生きたい彼は、彼女と結婚する気などさらさらない。

彼女もそれに気づいて画家に詰め寄る。

「あなたにとって私はただのモデルにすぎないの？」

「ああ、そうだよ」

「だったら死んでやる」

「勝手にすれば」

彼女は螺旋《らせん》階段を駆け上がる。カメラはそれを追う。マックス・オフュルスの独特のカメラワークだ。驚いたことにカメラは彼女を追い越して、階段を駆け上がり、窓から外に飛び出して墜落して地面に激突する！

カメラを実際に投げて撮っているのだろう。オフュルスを尊敬するスタンリー・キューブリックは、『時計じかけのオレンジ』（71年）で、主人公のアレックスが窓から飛び降りるシーンでカメラを窓から投げて撮っている。

『快楽』では、そこでナレーションが入る。「彼女は窓から飛び降りましたが、命は助かりました。でも、一生、車椅子なしでは生きられなくなりました」

次の場面では、海辺で彼女が乗った車椅子を画家が押している。二人とも幸福そうな笑顔だ。「でも、ちょっと悲しい結末ですね」画面の外からコメントが入る。それにナレーターが答える。

「幸福というのは快楽と別物なんですよ」

そこで『快楽』は終わる。

自由という快楽を捨てなければ幸福は摑めない。

ウッドコックを演じた後、ダニエル・デイ＝ルイスは役者引退宣言をした。

「彼は役に入り込みすぎて、仕事よりも家庭って気持ちになっただけじゃないかな」

ＰＴＡは笑う。

「家庭的幸福と仕事やアートは両立しない、と考える人もいるけど、そんなことはないよ」

筆者のＰＴＡへのインタビューはハリウッドのフォーシーズンズ・ホテルで行なわれたが、そこに来る前に「子どもたちを自分で学校に送ってきた」ところだったそうだ。

最後にウッドコックはアルマに膝枕されて「ハングリーだ」と言う。家庭が彼の新たな創作意欲をかき立てたのだろう。

第7章

なぜスパゲティを汚らしく食べるのか？
――『聖なる鹿殺し　キリング・オブ・ア・セイクリッド・ディア』

2017年／アイルランド・英国
監督・脚本／ヨルゴス・ランティモス
主演：コリン・ファレル
ニコール・キッドマン
発売：ハピネット

神を演じる者

真っ暗な画面に悲壮な調べが流れる。シューベルトの『スターバト・マーテル』、我が子イエスが死んだことに悲しむ聖母マリアの歌だ。

突然、画面には鼓動する臓器が。胸部切開でむき出しになった心臓の手術のクロースアップ。ヨルゴス・ランティモスはいつも観客に居心地の悪い思いをさせる監督だが、この『聖なる鹿殺し　キリング・オブ・ア・セイクリッド・ディア』のメイン・タイトルは極めつけだ。

脂肪に包まれた黄色い心臓はたしかにグロテスクだが、見ていたくない理由はそれだけじゃない。外科医のメスがちょっと間違っただけで、鮮血が噴き出し、一つの命が簡単に失われてしまうかもしれない危なっかしさではないか。

医者が人の生死を司ることを英語でPlaying God（神を演じる）という。主人公の心臓外科医スティーヴン・マーフィ（コリン・ファレル）は、神を演じた責任を問われることになる。

スティーヴンはレストランでマーティン（バリー・コーガン）という十六歳の少年と待ち合わせし、高価そうな腕時計をプレゼントする。少年はスティーヴンの愛人なのか？

棒読み家族

マーフィ家は裕福だ。スティーヴンは高級車に乗り、妻アナ（ニコール・キッドマン）も医者。十四歳の娘キムと十二歳の息子ボブがいる。豊かで幸せな家庭人……。には見えない。マーフィ家は変だ。

寝室でスティーヴンとアナは夫婦の営みをする。「全身麻酔」と言って、アナはベッドに横たわり、動かない。その上にスティーヴンが黙って乗る。そのセックスは性愛とはほど遠い行為に見える。

何よりもスティーヴンは、ものすごい早口で抑揚なく平坦に無感情にセリフを棒読みする。彼ほどではないが、妻も子どもたちも感情が見えない。まるでロボットが人間のふりをしているように。

ヨルゴス・ランティモスの映画はいつもそうだ。棒読み演技は、俳優の勝手な解釈を許さず、観客に甘い感情移入をさせない。

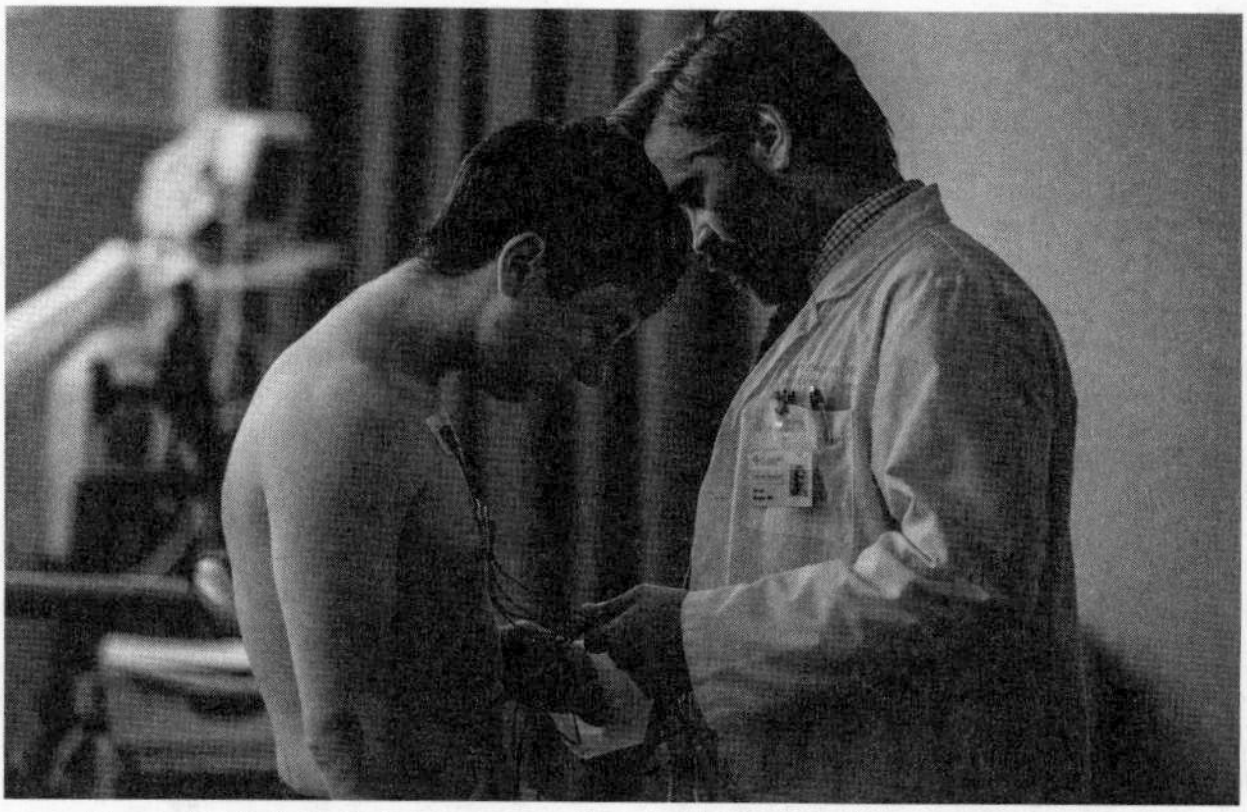
マーティンは父を殺したスティーヴンを「新たな父」にしようとする

ただ、スティーヴンの無感情な早口は、何かを隠しているようでもある。

父の身代わり

スティーヴンはマーティンを自宅に招く。マーティンは二年前に父を失ったという。スティーヴンは交通事故だと説明する。

それは嘘だ。実は、スティーヴンはマーティンの父の心臓手術を担当して、彼を死なせている。しかも、その手術のとき、スティーヴンは酒を飲んでいた。その罪の意識からスティーヴンはマーティンと会うようになっていた。

スティーヴンの長女キムはマーティンに惹《ひ》かれたらしい。学校のコーラス部に入っている彼女は、マーティンのために、アカペラでエリー・ゴールディングのヒット曲「バーン」（2013年）を歌う。見た目は十代の少年少女のプラトニックなラブシーンだが、「私たちには炎がある／私たちは焼き尽くす」という歌詞は何やら不吉だ。

マーティンはお返しにスティーヴンを自宅に招く。マーティンの母親を演じるのはアリシア・シルバーストーン！『クルーレス』（1995年）の頃は人気アイドル女優だったのに……。

「先生、綺麗な手をしてますね」

マーティンの母親がスティーヴンの手を取る。その手は夫を死なせた、血塗られた手なのに。彼女が手にキスし始めたのでスティーヴンは退散する。

翌日、スティーヴンの病院を訪れたマーティンは自分の母とスティーヴンを結婚させたがった。「母はいい体してるんですよ」

マーティンはスティーヴンとの血のつながりを求めるように、体毛の濃さを比べたりする。彼は亡くした父の身代わりを求めている。それはヨルゴス・ランティモス監督が興味を抱いているテーマらしい。彼の『アルプス』（2011年、日本未公開）も、愛する人を亡くした遺族を訪ねて、故人の身代わりをする「アルプス」という謎の集団の話だった。

意地悪な観察者

しかし、スティーヴンはマーティンを拒否し、電話にも出なくなる。

すると、長男ボブの脚が麻痺して歩けなくなる。さらにボブは食事もできなくなる。いくら検査しても原因はわからない。続いて長女キムも同じ症状に陥った。

それはマーティンの復讐だった。

『聖なる鹿殺し』は一種のホラー映画で、スタンリー・キューブリック監督の『シャイニング』を思い出させる。どちらも広角レンズのパンフォーカスで撮影されたシンメトリーの画面が多いからだ。つまり、遠近感を強調した広い画角で、画面のすべてにピントが合い、左右対称だ。きわめて客観的な撮り方で、キャラクターの感情に寄り添おうとしない。撮影監督はデビュー作からずっとヨルゴス・ランティモス監督の映画を撮り続けてきたティミオス・バカタキス。

だが、カメラはたいていのシーンでゆっくりズームインしたり、ズームバックしたり、トラックアップ（カメラ自体を前進させる）か、トラックバック（カメラ自体を後退させる）している。これによって、観客はカメラの存在をつねに感じる。

登場人物に感情移入せずに、それをじっと見つめている意地の悪い観察者の視点だ。

真顔のジョーク

さらにランティモスはそこに奇怪なユーモアを混ぜてくる。

たとえばスティーヴンは学会のパーティで突然、「うちの娘が初潮になりました」と言う。

また、歩けないボブには「秘密があるなら言ってくれ。父さんの秘密を打ち明けるから」と、こんな話をする。

「私がお前くらいの歳だった頃、オナニーを覚えた。でも、精子が少ししか出なくて心配だった。父さんが酔っ払って眠っていたので、ペニスをしごいたら、ものすごい量が出て、怖くなって逃げた」

そんな話聞かされても……。登場人物は真顔だから、笑っていいのか悪いのか困ってしまう。実際、出演者たちは笑いをこらえるのに苦労したと言っている。

なかでも、マーティンを演じるバリー・コーガンが笑いそうで困ったというのが、スパゲティを食べるシーン。

「僕のスパゲティの食べ方は父さんとそっくりだと言われた。世界中でこんな食べ方をするのは父さんと僕だけだと思った。けれど、後で、誰もがみんな同じ食べ方をすると知って、怒りがこみあげてきた。父さんが死んだと知ったときよりも頭に来た」

このセリフだけなら、父を亡くした少年を嘘で喜ばせた人たちへの怒りとして共感できるが、その食べ方とは「スパゲティをフォークで巻いて巻いて巻いて、一皿全部フォークに巻き取って口に突っ込む」なのだ。あのさ、そんな食べ方、君以外に誰もしないから！

妻のアナはスティーヴンとマーティンの関係をいぶかしむ

恋はデジャ・ブ

ついにマーティンはスティーヴンに、真相を明かす。

娘も息子も妻も死ぬだろう。まず脚が麻痺して、次には何も食べられなくなる。そして眼から血の涙が流れ、一時間後に死ぬ。そうしてマーフィ家は全員死ぬ。この運命から逃れるには家族の誰か一人を殺さねばならない。

「僕の家族を殺したように、あんたの家族を殺してバランスを取るんだ。わかるかい?」

それは誰が作ったルールなのか? そのルールはどんな仕組みで実行されるのか? まるで説明はない。

ランティモスの映画は奇怪なルールに囚われた人々の話が多い。『籠《かご》の中の乙女』(2009年)は、裕福な両親に家の中に閉じ込められて育ち、嘘の言語を教えられた子どもたちの物語。『ロブスター』（15年）は恋愛できない男女は役立たずとされて、動物に改造されてしまう社会が舞台。しかし、どうしてそうなったのか、どうやって動物にするのか、などの説明はない。

マーティンは「父さんが好きだった映画なんだ」と言って、スティーヴンにビデオで『恋はデジャ・ブ』（１９９３年）を見せる。人を人とも思わない傲岸不遜《ごうがんふそん》な気象予報士（ビル・マーレイ）が同じ一日を永遠に繰り返すループに囚われる。しかし、なぜ、そんなことになったのか説明はない。論理的裏付けに意味はない。これはたとえ話、メタファーだから。

「眼には眼を」

「これはメタファーなんだ」

スティーヴンに拉致《らち》され、地下室で拷問されたマーティンは言う。

つまり、この物語は何かの象徴だと。

最近、登場人物自身が「これはメタファーだ」と言ってしまう映画が多い。イ・チャンドン監督の『バーニング　劇場版』（２０１８年）も、ポン・ジュノ監督の『パラサイト　半地下の家族』（19年）もそうだった。

マーティンはスティーヴンの腕に嚙み付く。そして、「僕が謝ったところであなたの痛みが癒えるわけでもないよね。解決方法はただ一つ」

そう言って、マーティンは自分の腕に嚙み付き、肉を食いちぎって吐き捨てる。

スティーヴンがマーティンと同じ傷を受けない限り、復讐は続き、家族は全員死ぬ。「眼には眼を」ということだ。

『眼には眼を』（1957年）という映画があった。シリアでフランス人の医者が、急患の女性を診なかったため、彼女を死なせてしまう。死んだ女性の夫がしつこく医者にまとわりつき、最後は果てしない砂漠に追い詰めていく。ランティモス監督はこれを観たのかもしれない。

ただ、いったい何のメタファーだろう。

残酷な神が支配する

ヒントはいくつかある。

スティーヴンは人が良さそうに見えるが、そんなに良い医者ではない。手術前に酒を飲み、それで失敗しても、無責任に「外科医は人を殺さない。麻酔医のせいだ」と言ってのける。血みどろのゴムの手袋を脱ぎ捨てて、マーティンの母が言うように「いつも綺麗な手をしている」。

そんなに良い父親でもない。歩けなくなった息子に「これ以上ふざけるなら、髪の毛を剃って食わせるぞ」と脅す。

また『聖なる鹿殺し』は、貧しい若者が裕福な家庭に少しずつ侵入していくジャンルの一本でもある。パゾリーニの『テオレマ』（1968年）や、アレックス・ファン・ヴァーメルダムの『ボーグマン』（2013年）などがこれにあたる。『パラサイト　半地下の家族』もそうだ。

マーティンは自分の家はスティーヴンと違って治安の悪い地区にあると言う。二階建ての一軒家だが、隣は墓場だ。母は仕事がない。マーティンは「バスの中に二十人の勝ち組と二十人の負け組が乗っている」という話をする。

それでいえば、ランティモスの母国ギリシャは国家の財政が破綻した負け組だろう。脚本ではスティーヴンとマーティンが会うレストランはバーガーキングで、そこがアメリカであることが強調されている。

神を演じてきた傲慢なスティーヴンに裁きを下すマーティンは神なのか？

妻アナはマーティンにひざまずいて、その足にキスする。キリストに信者がするように。

イピゲニアの神話

生贄のために誰を殺すか、選ぶのはスティーヴンだ。家族はみんな命乞いをする。

長男ボブはスティーヴンに言われたとおり自分で髪を切り、言われたとおり心臓外科医になると誓う。

妻アナは子どもはまた産めばいいから私を殺さないで、と、親としてどうかと思うことを言う。

長女キムはマーティンに脚が動くようにしてと懇願するが無視され、這って逃げるところを捕まり、スティーヴンに懺悔《ざんげ》する。「自分だけ逃げようとしました。悪い子でした。パパの罪のために私を生贄にしてください。パパは主人です、神です、何でも従います」。その言葉もまた、自分だけは助けてくれと言っているようにしか聞こえない。

スティーヴンは子どもたちの学校に行って、教師にボブとキムのどっちを選ぶべきか尋ねる。このへんも苦笑いさせられるが、教師はキムがイピゲニアについての作文でいい成績を取ったという。

イピゲニアは古代ギリシャの英雄アガメムノンの娘。アガメムノンはトロイ戦争に出陣したが、風が吹かないため、兵を乗せた船は出帆できない。それは、女神アルテミスが寵愛していた鹿をアガメムノンが射殺してしまった呪いだった。その呪いを解くにはアガメムノンが娘イピゲニアを生贄として殺さねばならない。

さまざまな作家によって語られ、劇や映画になってきた、このギリシャの古典を、ギリシャ人ランティモスが現代のアメリカに移植したのが『聖なる鹿殺し』だったのだ。

ついにボブの眼から血の涙が流れた。死ぬまで一時間しかない。誰を殺すか決められないスティーヴンは一種のロシアン・ルーレットをすることにした。妻と子を縛り、顔に布袋をかぶせ、自分も目隠しをして、ライフルを持ってぐるぐる回る。誰に当たるかわからない。この回り方もどこか滑稽で、思わず笑ってしまうと、銃声。銃弾はボブを選んだ。

これほど救いのない映画もないだろう。世界各地の映画祭でブーイングを浴びたのもわかる。

父とスパゲティ

しかし、マーティンが言った「これはメタファーなんだ」は、結局いったい何のメタファーだったのか。

2019年1月25日、ヨルゴス・ランティモスの父アントニスが六十一歳で亡くなったと報じられた。

アントニスはバスケットボールのギリシャ代表選手で、1964年から70年にかけて九回も世界大会に出場している。息子ヨルゴスも高校時代はバスケットボールの選手として活躍し、当時の彼が父と並んで撮った写真もニュースに添えられた。

ギリシャの週刊誌「ダウンタウン」は2018年に、アントニスに息子ヨルゴスについてインタビューしていた。

「息子には自分のようなバスケットボール選手になってほしかった」

「息子は内向的だった。難しい子どもだった。友達もほとんどいなかった。あまりしゃべらなかった」

いったい、どんな父子関係だったのか？

父の死の直前、18年12月9日、英「ガーディアン」紙が掲載したヨルゴス・ランティモスのインタビュー記事にはこうある。

「ヨルゴスは両親の離婚後、母に育てられた。その母も彼が十七歳の時に亡くなり、叔母はいたものの、ヨルゴスは自力で生活しなければならなくなった」

父はヨルゴスを育てなかった。そして母の死後も彼を引き取らなかった。

「ただ何も考えずに頑張るしかなかった。仕事を探して、家賃を払わなきゃならなかった。学校に行きながら。その経験は僕に、凄まじく大きな影響を与えた。意識しなかったけど。ただ働き続けているうちに大人になった」

父を失い、病んで働けない母と二人暮らしのマーティンはヨルゴス自身だったのではないか？　スティーヴンを父として求め、拒絶されたのも彼自身だったのではないか？

『アルプス』も、実は同じテーマだった。

ヒロイン（名前はない）は、交通事故で死んだ少女の両親の心を癒やすため、少女の家に通って少女を演じる。それを両親も温かく迎える。ヒロインは実生活では父親と二人暮らしだが父との関係は冷たい。ヒロインは事故死した少女の家に入り浸るようになる。少女の両親もだんだん疎《うと》ましく思うようになり、もう来ないでほしいと断ると、ヒロインは窓を割って無理やり侵入し、叩き出されて泣く。

このヒロインはマーティンではないか。二人とも父に拒絶されたヨルゴスではないのか？ヨルゴスは高校でバスケットボールの選手だった。誰もが有名選手である父と比べたに違いない。そのたびにヨルゴスは父に捨てられた事実が胸に刺さっただろう。その辛さも知らずに父と比べた人々に怒りを覚えただろう。マーティンのスパゲティの食べ方を父と比べた人々に対する怒りは、それではないか？

なぜ少年の顔に蠅がたかるのか？

第8章 ——『君の名前で僕を呼んで』

2017年／イタリア・フランス
監督：ルカ・グァダニーノ
主演：ティモシー・シャラメ
アーミー・ハマー
発売：ハピネット

『君の名前で僕を呼んで』で、ジェームズ・アイヴォリーが2018年のアカデミー脚色賞を受賞した。このとき、八十九歳。史上最も高齢の受賞者になった。

アイヴォリーはプロデューサーのイスマイル・マーチャントとのコンビ「マーチャント&アイヴォリー・プロダクションズ」で、『眺めのいい部屋』（1986年）、『モーリス』（87年）、『ハワーズ・エンド』（92年）、『日の名残り』（93年）などの文芸作品を作ってきた。

「私の人生のパートナーは逝ってしまいました」

授賞式のステージでアイヴォリーは2005年に亡くなったマーチャントに感謝した。「彼なしに私はここに立つことはなかったでしょう」

アイヴォリーが『君の名前で僕を呼んで』で獲ったオスカーをマーチャントに捧げたのには、深い理由がある。

『君の名前で僕を呼んで』は、1983年のイタリアが舞台。主人公は十七歳のアメリカ人少年のエリオ（ティモシー・シャラメ）。父が大学教授で、夏の間、家族でイタリアに滞在している。そこに父の弟子である大学院生、オリバー（アーミー・ハマー）がやってきて、エリオと彼は恋に落ちる。二人が結ばれる夜、オリバーはエリオに「君の名前で僕を呼んで」と言う……。

原作はニューヨーク大学などで比較文学の教授を務めるアンドレ・アシマンの小説。2007年、五十六歳で出版した『君の名前で僕を呼んで』は同性愛小説としてカルト的人気を呼んだ。だが、アシマン自身には女性の配偶者がいて、息子が三人おり、「私自身は男性との性的な経験は一度もない」と公言している。

では、アシマンはなぜ、この小説を書いたのか？　なぜ、「君の名前で僕を」呼ばせるのか？

監督はイタリア人のルカ・グァダニーノが担当した。彼は原作にも脚本にもない要素を加えた。

蠅である。

あらゆる場面で蠅が飛んでいる。なかでも感動的なラストシーンでティモシー・シャラメの美しい顔に蠅が這い回るのは、世界の観客を当惑させた。

なぜ？

出エジプト

1951年、アンドレ・アシマンはエジプトのアレクサンドリアで生まれた。父親はイタリアからエジプトに移民したユダヤ系のビジネスマンだった。50年代半ば、第二次中東戦争でエジプトとイスラエルの関係が悪化し、エジプト国内のユダヤ人の脱出が始まった。アシマン一家はイタリアの市民権を取得し、イタリアに移り住んだ。当時、アンドレ・アシマンは十四歳。『君の名前で僕を呼んで』で、十七歳でイタリアにやってくるエリオ少年には、少年時代の作家自身が重ねられていると言える。

この後、アシマンは家族と一緒にニューヨークに移住する。1988年、三十七歳のアシマンはハーバード大学で比較文学の博士号を取得する。『君の名前で僕を呼んで』の、1983年に博士号を目指している大学院生オリバーには、院生時代のアンドレ・アシマンが投影されていると思われる。

2005年、五十四歳になるアンドレ・アシマンは、妻や十代の息子たちとイタリアに旅行をした。イタリアで過ごした少年時代の記憶が蘇ってきて、一気にこの小説を書いたという。つまり、『君の名前で僕を呼んで』に登場するエリオの父もまた、アシマン自身らしい。実際、映画で父を演じるマイケル・スタールバーグのひげはアシマンによく似ている。

ちなみに文学部教授としてのアンドレ・アシマンの専門は、マルセル・プルースト。プルーストはフランスの作家。映画『リトル・ミス・サンシャイン』(06年)で、スティーヴ・カレル演じる大学教授がやはりマルセル・プルーストの専門家という設定になっていた。

プルーストはゲイで、コルクで防音した部屋に引きこもって『失われた時を求めて』を書いた。プルーストの回想と妄想が入り乱れる一大長編で、読み通すことが最も難しい小説と言われている。

パイデラスティア

『君の名前で僕を呼んで』は、古代ギリシャの青銅像の写真で始まる。それは劇中で発掘された少年像で、主役のティモシー・シャラメに似ている。オリバーはギリシャの哲学者ヘラクレイトスの研究をしており、アプリコットの語源はギリシャ語だと話す。ギリシャは、この映画にとって重要だ。

なぜなら、エリオとオリバーの関係は、古代ギリシャの少年愛、パイデラスティアと呼ばれるものだからだ。

パイデラスティア(英語ではペデラスティ)とは、エラステース(念者)と呼ばれる二十代青年が、エローメノス(若衆)と呼ばれる十代の少年と恋をすることで、古代ギリシャでは理想とされていた。それは単に性的な関係だけではなくて、詩や絵や歴史といったさまざまな教養

エリオとオリバーの関係は古代ギリシャの少年愛の再現だ

を少年に伝えるという、一種の師弟関係、兄弟関係をも含んでいた。音楽や文学についてエリオとオリバーが話し合うシーンが多いのは、パイデラスティアだからだ。

かつての日本にも「若衆宿」という慣習があって、一定年齢の若者たちが一緒に暮らすことで、兄貴分が弟分にものを教えていく文化があった。

世界中で似たような慣習があったのだろうが、古代ギリシャの場合、都市国家の市民の男性はみな戦時には兵士となる義務があったので、男同士のつながりが特に重視された。

エリオがオリバーの下着をかぶるシーンでは映画館で笑いが起こった。しかし、それはパイデラスティアの男たちがお互いの持ち物を交換したり、あるいは同じものを共有した習慣に基づいている。

監督のルカ・グァダニーノ自身のパートナーは二十歳ほど歳の離れたフェルディナンド・チトー・フィロマリ

ーノという映画監督で、修行時代は、グァダニーノの第二班監督として働いていた。パイデラスティア的な関係なのだろう。

プラトニック・ラブと一体化願望

古代ギリシャの哲学者プラトンもパイデラスティアの実践者だった。プラトニック・ラブ（プラトンの愛）という言葉は現在、男女間の精神的恋愛を意味するが、本来プラトンは『饗《きょう》宴《えん》』の中で、男性同士での恋愛について語っていた。

『饗宴』で、プラトンは恋の謎を解き明かそうとする。

人が恋に落ちる理由はわからない。美しいからと言って好きになるわけではない。ただ、一目見ただけで理由もわからず恋に落ちてしまう事実はある。その理由についてプラトンはこう考えた。

かつて人間は二つの身体が一体になった完全体として存在していたのではないか。だが、あるとき神ゼウスによって二つに裂かれてしまって、今のような不完全な姿になってしまったのだ。人間がパートナーを求めて止まないのは、自分の「片割れ」を探しだして本来の完全な姿に戻りたいと願うからに違いない。

ちなみにプラトンは、この『饗宴』の説明では、完全体の形としては男と女の合体（両性具有）のほかに、男性同士の合体、女性同士の合体があるとしていて、だから同性愛は自然なことだと考えられている。

『君の名前で僕を呼んで』のタイトルになっているオリバーの言葉はまさにプラトン的な一体化願望を意味している。この映画は一体化願望に満ちている。

エリオが桃の実を使って自慰をするシーンでも客席がざわついた。その後、オリバーはエリオの精液を吸った桃を見つけるが、原作ではそのまま「君の味がする」と言って食べてしまう。

エリオとオリバーがローマに行って、酒に酔って吐いたエリオにオリバーがディープキスをするシーンがある。いくら水でゆすいだと言っても、嘔吐したばかりの口にキスをするのは、相手の吐瀉物《としゃぶつ》をも求める一体化願望の表れだろう。

原作小説にはもっと強烈な描写がある。

オリバーがトイレで大便をしようとすると、エリオが、その様子を全部見せてくれと頼む。しかも、見ただけでは終わらなくて、エリオはオリバーが用を足したままの便器に自分も座って、そこで大便をして、二人の大便を混ぜてしまう！

物語の終盤、二人は別れるのだが、そのシーンをよく見ると、エリオがダブダブのダンガリーのシャツを着ている。オリバーが最初にイタリアに現われたときに着ていたシャツを。

この一体化願望は、エリオもオリバーもかつてのアシマン自身を投影していると考えるとさらに意味深いものがある。

だが、ギリシャでは、少年愛は二十代までのことで、三十代に入った男たちは女性と結婚をすることになっていた。エリオの恋にも終わりが来るのは決まっていた。

ジェームズ・アイヴォリーの「動機」

この小説を読んだジェームズ・アイヴォリーは自分で監督したかったが、映画化権を取得できなかった。そこで映画化権を取ったグァダニーノ監督のために脚色することになった。アイヴォリーにとって『君の名前で僕を呼んで』は大事な作品だった。彼もまた同性を愛する人だったから。

ジェームズ・アイヴォリーとプロデューサーのイスマイル・マーチャントは私生活でもパートナーで、マーチャントが2005年に亡くなるまで、ずっと一緒に暮らしていた。

マーチャントはインド人だが、「イスマイル」という名前でわかるようにイスラム教徒だった。イスラム教では同性愛は今でも罪とされているから、二人の関係は秘密だった。

マーチャント&アイヴォリーの作品『モーリス』は、まだ同性愛が犯罪であった頃のイギリスで、ひそかに愛し合った男たちの物語だ。原作は『眺めのいい部屋』のE・M・フォースター。彼もまたゲイだった。だから、『モーリス』はフォースターが亡くなった1970年以前は出版できなかった。もちろんフォースター自身がゲイであることも公表できなかった。『モーリス』以外のE・M・フォースターの小説は、男女関係を描いているが、ヒロインに彼の気持ちを託して書いたと言われる。たとえばデヴィッド・リーンが映画化した『インドへの道』（1984年）のヒロインは、インド人の男性を愛した英国人女性だが、インドや中東の男性を愛したフォースター自身だと言われる。

フォースターの死後発見された彼の日記には、彼の同性愛者としての苦悩が縷々書かれている。第一次大戦中、三十代半ばのフォースターは赤十字で働きながら、エジプトや中東、インドなどを旅行し、日記によると、各地でいろいろな男性たちと出会っている。初めてのセックスの相手は負傷兵だったという。

三十七歳でイスラエルに行ったときは、十七歳の路面電車の車掌モハメド・エル＝アドルと出会って、真剣な恋をしたという。モハメド・エル＝アドルはエジプトのアレクサンドリアで若くして亡くなるのだが、その悲しみがフォースターの文学活動の原点になっているとも言われている。

フォースターはイギリスに戻ってからもひそかに恋人を持った。相手は警察官だったり、車掌だったりした。「私は逞しい労働者階級の男に愛されたい」と彼は日記に書いている。

そのE・M・フォースターが1914年にひそかに書いたのが『モーリス』という小説だっ

たわけだが、公表を前提にしなかったという点では『君の名前で僕を呼んで』のアンドレ・アシマンが当初、この小説を自分自身のためだけに書き、出版する気がなかったと言っていることと共通していて興味深い。

エロチックな食事

原作者のアシマンと、アイヴォリーの思いが込められた物語を映像化したルカ・グァダニーノは彼独特のタッチを加えた。

まず、食べ物。半熟卵や桃などのシズル感あふれる食べ物がエロチックな予感に満ちている。グァダニーノの前作『ミラノ、愛に生きる』(2009年)はもっとはっきりと、食事とセックスが同じものとして描かれている。

オープニングは工業都市ミラノの、寒々しく殺伐とした灰色の景色。ティルダ・スウィントン演じるヒロインは、ファッション関係のコングロマリットの大財閥に嫁いできた女性で、息子や娘たちはすでに自立して働いている。

前半はミラノの上流階級の、格式張った、冷たく、色も味気もない無表情な生活が描かれる。それが一変するのは、息子が南イタリアから連れてきたシェフの作った料理をヒロインが食べた瞬間だ。南イタリアの新鮮な魚介類を使った料理を一口食べたヒロインの表情は、明らかに

なぜ美少年の顔の周りにはいつも蝿が飛んでいるのか

エクスタシーのそれだ。

一皿のシーフード料理によって人生の喜びに目覚め、矢も盾もたまらず、シェフのいる南イタリアのサンレモを訪れる。

モノトーンだったミラノの風景とは違い、緑あふれる、太陽が燦々と輝く森の中を進んでいくにしたがって、彼女の五感が開いていく。忘れかけていた官能の喜びを彼女は取り戻していく。

それはルイ・マル監督の『恋人たち』(1958年)で、堅苦しい金持ちのブルジョワの人妻(ジャンヌ・モロー)が夫以外の男性と恋に落ちて、美しい森の中に入っていく描写を思わせる。

自然に還っていくにしたがって、忘れていた生物としての本能、人間としての官能が蘇ってくる。

『君の名前で僕を呼んで』のエリオたちも緑あふれる自然の中に入っていく。自然に囲まれて、自然の恵みである果実を食べる。その周りを蝿がぶんぶん飛び回っている。ラストシーンのロングテイクでも、暖炉の前で泣いているエリオの顔を蝿が這い回っている。これは偶然だろうか？

たとえ偶然写ったとしても、デジタルで簡単に消せたはず。事実、アーミー・ハマーの半ズボンの裾からはみ出ていた性器はすべてデジタル処理で消したという。グァダニーノは、この蝿の理由を一切説明していない。

だが、『ミラノ、愛に生きる』に似たようなシーンがある。

ヒロインはサンレモでシェフと再会し、森の中でセックスをする。彼女の胸を吸うシェフと、その周りに咲いている花の蜜を吸うハチや蝶がカットバックされる。

花が虫を惹《ひ》きつけるのは、虫によって花粉を運んでもらい受粉をするため。植物の受粉も、虫が蜜を吸うことも、人間のセックスも、すべては素晴らしい自然の営み。グァダニーノにとって、虫は生命の象徴なのだろう。

炎を消してはならない

『君の名前で僕を呼んで』のエンディングでエリオは暖炉の炎を見つめながら泣いている。炎はオリバーを意味している。

オリバーが研究テーマとしている古代ギリシャの哲学者ヘラクレイトスは「万物《ばんぶつ》は流転《るてん》す

る」という言葉で知られる。「この世界に存在するもので不変のものは何もない。万物はつねに変わり続けている」という意味だ。

川はいつも同じ場所にあって、同じように存在するように見えても、そこに流れている水はつねに下流に流れていき、同じ場所には存在しない。それと同じように、この世界も一見、不変のように見えるものも、その本質はつねに変わり続けていて、と、ヘラクレイトスは説いた。

昨日の私と今日の私は一見、変わらないように見えるけれども、しかし、その内面は昨日と同じではない。

だが、ヘラクレイトスは一つだけ「世の中には不変のものがある」と言う。それは炎だと。ヘラクレイトスによれば、この世の中のすべての物質の本質は炎であり、炎が転化して水となり、水が転化して土となったと考えた。

このヘラクレイトスの思想を踏まえて、原作でエリオの父は息子に語りかける。

「炎を消してはいけない」と。

オリバーとの恋のことを言っている。

「その気持ちを無理に引き剝《は》がそうとすると、人は三十歳になる頃には心が空っぽになってしまって、誰かを好きになっても、もう与えられるものがなくなってしまうんだよ」

なぜ「三十歳」か？

古代ギリシャにおいて同性愛は推奨されていたが、それは成長のための通過儀礼と考えられていた。三十歳を過ぎたら、女性と結婚して子どもを持たねばならなかった。だが、同性愛で知った人を恋する心という炎を消してしまうと、人を愛することのできない空っぽの人間になってしまうと。

アシマンの告白

父親はエリオに告白する。

「一つだけ言わせてくれ。自分にも非常に似た経験があった。でも、いつもそこで何かが自分を押しとどめて、私はそこで一歩踏み出せなかったんだ」

つまり父親もまた昔、男性を好きになった経験があった。

これは作者であるアシマン自身の告白でもある。

実際、アシマンはインタビューで十八歳から三十歳までの間、何回か男性を好きになった、と語っている。

さらにエリオの父親はこう語る。

「多くの人は、二通りの生き方をしようとする。建前と本音だ」

アシマンが女性と結婚したのは建前で、本音では男性を愛したかった。

「その中間にも多くの生き方がある。でも本当の人生は一つしかない。気がつけば心はくたびれ果てて、身体も衰えて誰も見てくれないものになってしまう」

これほど悲痛な作者の言葉があるだろうか。

「今、お前は悲しみしか感じないだろう。私は進んで苦しもうとは思わない。だが、今、お前が苦しみを感じているのを見てうらやましく思う」

E・M・フォースターも、九十一歳で亡くなる直前に、日記にこう書いている。

「イギリスの社会が同性愛を犯罪と見なしていたことで、私の人生はどれだけ無駄になったことか」

フォースターは晩年、まったく小説を書いていない。愛する人と巡り会えたから。最後の相手（妻子のある警察官だった）とは家族ぐるみで付き合い、フォースターはその家族のために家を買ってあげた。その家で彼は亡くなった。相手の奥さんは自分の夫とフォースターの関係を知っていたらしい。

フォースターの創作活動は、男性に対する満たされない欲望を埋めるためだった。しかし、実際にそれが満たされてしまったので、フォースターの読者はもう彼の新しい作品を読めなくなった。天才の幸福は世界の不幸であり、天才の不幸は世界の幸福なのかもしれない。

パラレルな人生

アシマンの原作では、二十年ほど後にエリオとオリバーが再会する。大学教授になり、妻子もいるオリバーはエリオにこう語る。

「ほとんどの人間は、二つ以上のパラレルな人生を持っているんだ」

どんな人も「あのとき、自分がこうすれば」と思う瞬間を持っている。そのとき、違う選択をしていたら、自分の人生は別のコースを進んでいたかもしれない。『君の名前で僕を呼んで』に、アシマンはゲイのカップルの一人としてゲスト出演している。エリオとオリバーの物語は、アシマンにとって、選ばなかった「パラレルな人生」なのだろう。彼に限らず、小説や映画、歌といったものはみな、自分自身の人生とは違う、もう一つの人生を思い描くことで生まれるのだ。

『君の名前で僕を呼んで』というタイトルには、エリオもオリバーも、エリオの父も、アンドレ・アシマン自身であるという思いも含まれているのかもしれない。

ただ、この作品は同性愛者の側から「ゲイとして生きていない者によるファンタジーにすぎない」と批判された。

まず、1983年を舞台にしながら、ゲイに対する偏見や差別、葛藤や苦しみが描かれていないばかりか、エイズについて言及もされない。82年には全世界でエイズによる死亡者の増加が報じられ、パニックによる同性愛者バッシングが起こっていたのに。ジェームズ・アイヴォリーは「自分は脚本に書いたのだが、監督がカットした」と弁明しているが、噂されている続編で描かれるのかもしれない。

アシマンには社会的な現実よりも、古代ギリシャの理想を現代に描くことが重要だったのだろう。だが、その理想——男性は誰でも二十代までは同性愛で、三十代からは女性と結婚して家庭を持つ——も、ゲイであることはアイデンティティの問題だとする現代のＬＧＢＴの立場からすると受け入れがたい。

人生はサンクレメンテ

アシマンの同性愛に対する考え方は原作中に出てくる「サンクレメンテ症候群」という言葉に象徴されている。

ローマにあるサンクレメンテ聖堂はもともと古代ローマの政治家の家だったのだが、そこが焼け落ちたあとに古代ローマの神ミトラを祀る地下聖堂が作られた。さらに、そのあとに初期のキリスト教徒が教会を建てた。今のサンクレメンテ聖堂はその何代か後に築かれたものであるという。

「人生はサンクレメンテみたいなものじゃないか」

と、アシマンは問いかけている。男性を好きになったり、女性を好きになったり、片思いしたり、失恋したり、さまざまな経験が層をなし、人を形成する。その層が複雑なほど、豊かな人生なのではないか。

アシマンは最後に「君の名前で僕を呼んで」と、読者に呼び掛けている。エリオを、オリバーをあなたの名前で呼んでほしいと。

それは、ゲイかどうか、男性か女性かは関係ない。どんな物語も、あなた自身のパラレルな人生として味わうものだから。

第9章　なぜ母は最後にベランダに出たのか？
——『ラブレス』

2017年／露・仏・独・ベルギー
監督：アンドレイ・ズビャギンツェフ
主演：マリアナ・スピヴァク
アレクセイ・ロズィン
発売：ニューセレクト

『ラブレス』つまり「愛がない」。

それは、アンドレイ・ズビャギンツェフ監督の孤独な原体験と、ロシアの荒涼とした政治的現実を象徴するタイトルだ。

『ラブレス』の舞台は現代のモスクワ。十二歳の少年アリョーシャが学校から下校する。一人ぼっちで歩く公園の木はどれも冬枯れをしている。彼はその枯れ木に登ったり、絡まっていた赤と白の縞《しま》のビニールテープで遊ぶ。赤と白のビニールテープは、日本やアメリカだと黄色と黒のテープにあたる。つまり、危険、立入禁止を意味する。

彼の両親は、離婚のため、自分たちの住む高級コンドミニアム（マンション）を売ろうとしている。夜、夫婦は一人息子のアリョーシャをめぐって言い争いをする。

「あんな子は要らない」「あなたが育てなさいよ」

両親が自分を押し付け合う声を、アリョーシャはドアの陰で聞いてしまう。嗚咽を押し殺しながら。両親の離婚を経験した筆者には胸が張り裂けそうなシーンだ。

夫婦にはそれぞれ愛人がいる。妻のジェーニャには、年上で、離婚歴がある金持ちの恋人アントンがいて、いつも彼のところに泊まっては朝帰りをしている。夫のボリスにも年下の恋人マーシャがいて、彼女はすでに妊娠していて、お腹も大きい。ボリスもまたマーシャの家に泊まっている。

朝帰りしてきた母ジェーニャは息子の不在に気づく。

私は誰も愛したことがない

夫婦は警察に通報するが、「行方不明の子どもを捜すボランティア団体に相談しろ」と言われる。その団体の人々は熱心に捜してくれるが、肝心の両親のほうはまったくやる気が見えない。

ジェーニャはいつもスマホをいじっている。インスタのようなSNSに自撮りをアップしている。エステで脱毛をしたり、髪の手入れに余念がない。徹底的なナルシスト。息子に対しては「ラブレス」だけれども、セルフ・ラブ、自己愛だけはあふれている。

「私は誰も愛したことがない」

両親のいさかいを聞いた息子アリョーシャはその翌日から行方不明になる

彼女は恋人アントンとセックスをした後にそう語る。「でも、あなただけは別。あなたといると、『人を愛する』とはどういうことかわかるような気がするの」

アントンは実業家で、別れた妻との間には大学生の娘がいる。父と娘の関係はとてもいい。そのアントンがジェーニャに言う。

「君は『愛がない』と言うけれども、愛なしには人は生きていけないよ」

ズビャギンツェフ監督が幼い頃、父は家を出ていった。

愛なき世界

アンドレイ・ズビャギンツェフは、1964年、シベリア最大の都市ノボシビルスクで生まれた。二十二歳でモスクワに上京し、劇団員を経て、映画監督になった。長編デビューは2003年の『父、帰る』。

シベリアの田舎町で、母親と暮らす兄と弟。十二年前、弟が生まれてすぐに父は家を出ていった。ところが、ある日突然、父親が帰ってくる。兄弟は最初喜ぶが、父親は意地悪で、高圧的な男だった。父子で無人島にキャンプに行くのだが、子どもたちは父の愛を少しも感じない。

第二作の『ヴェラの祈り』(07年)は、やはり田舎町が舞台で、ある日、夫が妻のヴェラからこう告げられる。

「赤ちゃんが出来たの。でも、あなたの子じゃない」

それを聞いた夫は、子どもの父親を捜すために村中を駆けずり回る。ずっと妻を責め続けながら。

第三作は『エレナの惑い』(11年)。六十代の元看護師エレナは、かつて看護した金持ちの男と結婚して暮らしているが、すでに愛はなくて、夫はエレナを家政婦のように扱っている。夫は長い間疎遠だった前妻との娘に自分の遺産をすべて譲るよう、遺書を書き始める。それを見たエレナは……。

始まりはいつも枯れ木

2014年のアカデミー外国語映画賞にノミネートされた四作目『裁かれるは善人のみ』は、

アメリカで2004年に起こった「キルドーザー事件」（殺人ブルドーザー事件）にヒントを得たという。

コロラドの田舎町の自動車修理工が、自分の工場の隣に建設されるセメント工場に対する反対運動を始め、当初は正当な手続きで建設差し止めを訴えた。だが、裁判では敗訴した。そればかりか、市当局が彼の工場に対して不当な業務停止命令を出した。これに怒って、改造ブルドーザーでセメント工場や市長の自宅などを粉砕し、最後はブルドーザーの中で自殺した。

ズビャギンツェフ監督は、この事件の舞台をロシアに移して、『裁かれるは善人のみ』を作ったが、いつもの彼の世界になってしまった。舞台はやはり田舎。主人公は自動車修理工場を経営する中年男。自宅が市の再開発計画で取り壊されることになり、必死の抵抗をする。しかし、彼は善人ではない。粗暴で酒飲みで男尊女卑で、当初は味方をしてくれた友人もどんどん離れていく。

「私は同じ映画を何度も何度も作っていると批判されている」

ズビャギンツェフは言う。たしかにどの映画も実によく似ている。

まず、どれも荒涼とした風景から始まる。

『ヴェラの祈り』では荒野に一本だけ立つ木、『エレナの惑い』は枯れ木のアップ、『裁かれるは善人のみ』は北方の浜辺で朽ち果てた漁船、『ラブレス』も雪の降る公園の枯れ木がファースト・ショット。

そして、登場する男たちは、いつも酒ばかり飲んでいる。『裁かれるは善人のみ』では、撮影中、俳優にウォッカを実際に飲ませ続けて、俳優が本当に吐いて、酔いつぶれるのを撮っている。

愛なき聖書

ズビャギンツェフ映画のもう一つの特徴は、聖書のネガティヴな引用。

『父、帰る』は、旧約聖書の「創世記」に登場するアブラハムの説話が原型になっている。アブラハムは神から選ばれた最初の預言者とされるが、神は彼に対して一人息子であるイサクを生贄に捧げろと命じる。アブラハムは神の命令に従って、実の息子を殺そうとするのだが、その最後の瞬間、天使が神の使いとして現われて、それを止める。しかし、止めなければ彼は息子を殺していたのだ。

『ヴェラの祈り』はもちろん聖母マリアの処女懐胎がモチーフだ。劇中でも、天使ガブリエルがマリアに「あなたは神の子を妊娠した」と受胎告知する絵が映される。マリアの婚約者ヨセフは、イエスを自分の子どもとして大事に育てたが、『ヴェラの祈り』の夫は妻を許せない。

『エレナの惑い』の聖書との関連はわかりにくい。この作品はもともと新約聖書の「黙示録」

に出てくる、世界を滅ぼす四騎士——剣、飢え、死、獣——をテーマにした話を、四人の監督に撮らせるプロジェクトだったが、他の監督が降りたので、『エレナの惑い』だけが単体の作品になった。

『エレナの惑い』のテーマは「飢え」だ。下層階級出身のエレナが、富裕層である夫の財産を渇望する。古来、ロシアでは「黙示録の四騎士」を、ロシアを侵略する騎馬民族のイメージで捉えているという。自身もシベリアという辺境の出身であるズビャギンツェフ監督はそこから発想して、貧困層が富裕層に仕掛けるテロを描いたと語っている。エレナの十二歳くらいの孫は、不良の仲間に入って喧嘩をする。それは殺人スレスレの暴力で、ロシアの貧困層が抱える暴力性や野蛮性をそこに込めたと監督は語っている。

リヴァイアサンというモンスター

『裁かれるは善人のみ』では、権力者である市長と癒着しているロシア正教の主教が、この映画の原題である「リヴァイアサン」の話をする。リヴァイアサンとは、旧約聖書の「ヨブ記」に登場する、水棲の巨大な怪物のこと。『裁かれるは善人のみ』は、陸に打ち上げられたクジラの白骨をリヴァイアサンに重ねている。

「ヨブ記」では、信仰厚い男ヨブが突然、不幸に襲われる。身体中に謎の皮膚病ができて、子どもが次々と死に、妻にも逃げられてしまう。友人たちは「ヨブが神様から嫌われるような悪いことをしたに違いない」と彼を見捨ててしまう。しかし、ヨブはまったく正しい信仰の持ち主で、何一つ身に覚えがない。

そこでヨブは神に「なぜ私はこのような目に遭うのでしょうか」と問いかける。すると神がヨブに問い返す。

「お前はレビヤタン（リヴァイアサン）を鉤《かぎ》にかけて引き上げ／その舌を縄で捕えて／屈服させることができるか。

お前はその鼻に綱をつけ／顎《あご》を貫いてくつわをかけることができるか」（「ヨブ記」40章25〜26節）

つまり、神は「お前のような小さな存在がどうして私に対して不服を訴えるのか」と言っている。「なぜ」などと問うなど傲慢だ、いさぎよく運命に従えと。

『裁かれるは善人のみ』で、主教がリヴァイアサンに喩《たと》えているのは権力者である市長である。「市長の施策に対して文句を言ってもロクなことがない。言われたとおりに従えば、ヨブが最後には救われたように、あなたも救われるだろう」

長いものには巻かれろ……主教はそう言いたいのだ。

「今の大統領の肖像はないのか」

だが、リヴァイアサンにはもう一つの意味がある。国家である。十七世紀イギリスの思想家トマス・ホッブスは、国家を、絶対的な権力を持ったモンスターに見立てた国家理論の書『リヴァイアサン』を書いたからだ。『裁かれるは善人のみ』の悪徳市長はロシアという国の権威主義と腐敗を象徴している。市長の執務室にはプーチン大統領の肖像画が掛けられている。ソ連は崩壊して、新生ロシアになったが、プーチン大統領はソ連時代のような独裁と個人崇拝を蘇らせた。酔いどれの主人公は仲のいい警察官たちとピクニックに行き、ソ連とロシアの歴代指導者たちの肖像画を射撃の的にしてウサを晴らし、「今の大統領の肖像はないのか」と言う。

これで『裁かれるは善人のみ』は、プーチンを支持する保守、右翼勢力から凄まじいバッシングを受けた。日本でも知られる右翼政治家ジリノフスキーは「このような反愛国的な映画に、政府の補助金を出すとは何事か」とわめき、当時の文化大臣が「今後は政府が援助をする映画については内容を検閲する」と声明を出す騒ぎになった。まあ、日本とよく似た状況ではある。

その騒動の後に『ラブレス』は作られた。だから、ロシア政府の補助金ではなく、海外からの出資によって作られている。政府批判がかなりストレートに描かれており、「ロシアの首相になるには、勉強なんかしなくていいんだよ」というセリフもある。

企業、国家、宗教を支配する家父長主義

また、『ラブレス』では、最近のロシアで問題になっている保守政治家とロシア正教との癒着も批判されている。

アメリカでは共和党が宗教保守層、キリスト教原理主義者やカトリックと強く結びついているが、ロシアのプーチン政権を支えているのもロシア正教の指導者たちだと言われる。彼らは伝統的な家父長主義を維持しようとしている。プーチン政権が同性愛者の人権を弾圧し、女性の中絶を厳しく取り締まるのも、そのためだ。

『ラブレス』で、父親ボリスが働く新興企業では、結婚して子どもを持つことが奨励され、個人的な理由で離婚した人間はクビになるという。ボリスは新婚旅行でロシア正教の教会巡りをしたので、今の地位を得た。「ヴィレッジヴォイス」誌のズビャギンツェフ・インタビューによると、これはボイコ＝ヴェリキーという実在のコングロマリットの経営者がモデルだそうだ。この社長は厳格な父親のように社員にロシア正教の信仰を強要し、逆らう者を解雇するという。

もちろん、中絶も御法度だ。ジェーニャは子どもが欲しくなかったが、ボリスは出世に関わるからと産ませた。愛人のマーシャが妊娠したときに中絶させなかったのも会社での地位を守るためだった。

このようにズビャギンツェフが描く殺伐とした家族像は、ロシアの企業、国家、政治、それ

に宗教の腐敗へと同心円的に広がっている。

潰されたロシアの民主化

『ラブレス』では、ラジオやテレビから引っ切りなしにニュースが流れている。字幕が入っていないので、何を伝えているかわからないのだが、ズビャギンツェフ監督がインタビューなどで説明しているところによれば、最初にアリョーシャ少年が行方不明になったときに流れるのは、2012年10月、ロシアで反プーチン勢力が次第に人気を得て、ロシアにも「アラブの春」のような民主化運動が起こるのではと期待された時期のニュースだという。その運動の中心はアンドレイ・ナワリヌイという若い弁護士で、彼はプーチンやその取り巻き政治家たちと大企業との癒着を暴いて人気になった。

だが、その後、ナワリヌイはロシア政府に何度も逮捕される。当初は無許可のデモで騒乱罪に問われ、12年以降は横領や詐欺など経済犯の濡れ衣《ぎぬ》で逮捕された。フランスの化粧品会社から横領したという理由で逮捕されたときには、当の化粧品会社からは「被害を受けてない」という声明さえ出された。

このような不当逮捕は、ナワリヌイが政治家になれないようにするためだった。18年、彼はロシア大統領選挙に出馬したが、逮捕歴を理由に出馬資格を取り消されている。

ズビャギンツェフは、無関心な親から見捨てられる息子アリョーシャに、ナワリヌイを重ねている。

もう一人のアンドレイ

ズビャギンツェフは本人も認めるように、同じアンドレイという名前を持つ、ソ連の映画作家タルコフスキーの影響を強く受けている。

たとえば、タルコフスキーは『惑星ソラリス』や『鏡』などで、彼自身の子ども時代の回想を作品の中に挿入するが、そこでブリューゲルの『雪の中の狩人』（1565年）を引用する。田舎の村の子どもたちが雪の中でソリやスケートで遊ぶ風景を描いた絵で、タルコフスキーにとっては自分自身の幸福な子ども時代の思い出と結びついている。

ズビャギンツェフも『ラブレス』で、ラスト近く、空き家になったマンションの窓から見える子どもたちがソリ遊びをしている風景で『雪の中の狩人』を再現している。

また、タルコフスキーといえば、必ずと言っていいほど廃墟を作品に登場させるが、ズビャギンツェフ作品にも、必ず廃墟が登場する。

『裁かれるは善人のみ』では、父親が市当局と戦っているためにちっとも顧みられない息子が、不良仲間と教会の廃墟でたき火をし、酒を飲んだりする。『ラブレス』では、行方不明になっ

ズビャギンツェフ監督の映画にはつねに枯れ木が現われる

たアリョーシャが、高級ホテルの廃墟を隠れ家にしていたことがわかる。
『ラブレス』の廃墟は中が水浸しで、タルコフスキーの『ストーカー』（1979年）に出てくる、「ゾーン」と呼ばれる水浸しの廃墟によく似ている。「ゾーン」は突然出現した異空間で、そこで願い事が叶うとされている。つまり、これは教会だ。十字架やイコン（聖像）こそないものの、タルコフスキーにとって、水や草に侵食された廃墟は、人工物が自然と一体化した、聖なる場所である。『ラブレス』のアリョーシャが逃げ込んだホテルの廃墟もまた、彼にとって一種の教会だったのだろう。愛されない子どもは神に祈るしかないのだ。ズビャギンツェフ作品においても、廃墟は、捨てられた子どもを包む温かい場所である。

僕は捨てられた

そして、タルコフスキーとズビャギンツェフの作品には、両親の離婚が強く影を落としている。

タルコフスキーも、幼い頃に両親が離婚し、赤貧の中、母親に育てられた。家を出た父親は詩人で、タルコフスキーは反発とともに父親を深く尊敬もしている。さらにタルコフスキー自身も離婚して、妻に引き取られた息子に対する罪の意識も作品に描かれる。

タルコフスキーは離婚後も何度も父に会えたが、ズビャギンツェフ監督は離婚後、一度も父に会っていない。父が後妻との間に生まれた男の子に、自分と同じアンドレイという名前を付けたことを後年になって知ったズビャギンツェフは、「そのときに自分は本当に捨てられたと思った」とインタビューで語っている。

『父、帰る』に限らず、ズビャギンツェフ作品の親たちは子どもに冷酷だ。『ヴェラの祈り』の夫も、自分の妻が誰かの子を妊娠したことで家庭を滅茶苦茶にするが、すでにいる自分の子どものことは少しも考えようとしない。『エレナの惑い』のエレナは孫を慈《いつく》しむが、彼は父親から少しも顧みられず、不良の仲間になってしまう。『裁かれるは善人のみ』の主人公は息子を放置し、家族は崩壊し、自宅も物理的に破壊される。

タルコフスキーの『鏡』は両親の離婚、自分の離婚について逡巡しながらも、最後は「でも僕が生まれたときには両親は愛し合っていた」「僕は愛から生まれたんだ」と確信して物語は終わる。

だが、ズビャギンツェフの作品には、そんな確信はけっして訪れない。

愛なき連鎖

『ラブレス』の愛なき母親、ジェーニャは、自分と母親の間にも愛がないと言う。「ママはとにかく命令ばかりする人で嫌になった。今では連絡も取ってない」

というのも、「ひょっとして息子はおばあちゃんのところに行っているかもしれない」と思った両親は、ボランティアと一緒に祖母の家を訪れるのだが、この祖母、つまりジェーニャの母親は彼らを家の中に入れようともしないばかりか、事情を聞いても「お前のところの息子を、私に預けようというつもりなんだろう」などと口汚く罵《ののし》るばかりで話にならない。

ズビャギンツェフ監督はこの祖母のことを「彼女は母なるロシアそのものを象徴しているんだ」と語っている。「母なるロシア」とは、ロシアの悠久の大地に、貧困や飢餓の長い歴史にじっと耐え、力強く子どもたちを守り、育ててきたロシアの母親たちを重ねた言葉だ。

しかし、ズビャギンツェフが「母なるロシア」と呼ぶジェーニャの母は、家の壁にイコンを飾り、神の名の下に子どもをがみがみ叱る。彼女は、政治的独裁と宗教的専制が凶悪な形で結びついてきたロシアの体制そのものだ。

そんな母に育てられたジェーニャは自分の子どもも愛することができない。負のループ、負のスパイラル。

ズビャギンツェフ監督も、二十二歳でモスクワに行くときに、地元のシベリアで結婚した相手と子どもを捨てている。自分が子どものときに父からされたことを、自分が親になって繰り返した。

だからなのか、ズビャギンツェフの映画はいつも、冷たく枯れ果てた風景で始まり、同じ風景で終わる。愛のなさがループするように。

愛の不毛

虚無的な風景で始まり、虚無的な風景で終わる形式について、ズビャギンツェフ自身は、ミケランジェロ・アントニオーニ監督の影響だと語っている。特に『ラブレス』は、アントニオーニ監督の『情事』（1960年）にヒントを得たという。

『情事』は行方不明についての映画だ。クラウディア（モニカ・ヴィッティ）が、友人アンナ（レア・マッセリ）と彼女の婚約者サンドロ（ガブリエル・フェルゼッティ）の三人で地中海を旅行するが、訪れた島でアンナが忽然といなくなってしまう。クラウディアとサンドロはアンナを捜すのだが、二人は次第にアンナのことを忘れ、情事にふける。しかし、そこにも愛はない。『情事』は、『夜』（61年）、『太陽はひとりぼっち』（62年）とともにアントニオーニ監督の「愛の不毛」三部作と呼ばれる。これらの作品でアントニオーニは、現代において愛は幻想にすぎない、愛は孤独を救えない、と暴いてみせる。

『太陽はひとりぼっち』のヒロイン（モニカ・ヴィッティ）は美しく、裕福で、婚約者もいるのに、少しも幸福感を得られない。そこで彼女は婚約者と別れ、アラン・ドロン演じる証券マンと付き合う。しかし、愛が不安や孤独を救うハッピーエンドは訪れず、都市の無機質で冷たく空虚な風景で映画は終わる。

『ラブレス』の父親ボリスの愛人マーシャもつねに「私のこと、本当に愛している？」「私は不安なの」と訴える。ボリスは「大丈夫だよ、愛しているよ」と答える。だが、アリョーシャが行方不明になって二年後、マーシャとの間に出来た子どもが彼に「遊んで」とせがむのに、ボリスは面倒臭そうに、ベビーベッドに子どもを放り込む。背筋が凍りそうなシーンだ。ボリスもまたジェーニャと同じく、誰も愛せない男だった。

ロシアよ、どこに行く

ジェーニャは恋人のアントンと一緒に暮らしている。テレビからはロシアがウクライナに侵攻したというニュースが流れている。ウクライナ侵攻は2014年2月23日だからアリョーシャ少年が行方不明になってから一年以上が経っている。

「ウクライナというのはロシアにとって子どものようなものなんだ」

ズビャギンツェフは言う。ウクライナの人たちにとってみれば不快な言葉だが、ズビャギンツェフはウクライナとアリョーシャを重ねたと言いたいのだ。

ニュースでは、ロシア軍に息子や孫たちを殺されたウクライナの母親たちが嘆き悲しんでいるが、ジェーニャは息子を失っているにもかかわらず、何の同情も示さない。

ロシア人はみな、無関心だったと監督は言う。かつては親子、兄弟同然だったウクライナの人々が殺されても何も感じない。

ジェーニャはベランダに出てトレッドミルで走りだす。彼女のトレーニングウェアには「ロシア」という文字が入っている。これはこの年のソチ冬季五輪を記念して売られたものだ。

プーチンがウクライナに突如侵攻したのはソチ冬季五輪の閉会と同時だった。相次ぐ汚職事件の発覚で、プーチン政権の支持率はどんどん落ちていったが、オリンピックで国威発揚したことで、支持率が回復した。その勢いでウクライナに侵攻した。

ジェーニャが着ているジャージはオリンピック当時、流行したもので、みながそれを着てロシアを応援したのだという。「ロシア」の国名を背負ってトレッドミルを走るジェーニャの姿には「ロシアよ、どこに行くのだ」という監督の問いかけが込められている。

その問いかけは、ロシアの作家ゴーゴリが書いた『死せる魂』（1842年）の引用だ。『死せる魂』とは、戸籍上は生きていることになっている、死んだ農奴たちのこと。彼らを抵当にして銀行からカネを借りようとする詐欺師を描いたブラック・ユーモア小説だが、最後に作者は嘆く。「わが祖国よ、いったいどこに向かおうとしているのだ」

トレッドミルを走るジェーニャはどこにも行かない。そこで足踏みしたまま、何にも変わらない。

『ラブレス』は、冒頭のシーンと同じ枯れ木で終わる。アリョーシャ少年が引っかけた赤と白のテープが残っている。「危険。立入禁止」。ロシアの将来への警告だろうか。

ベランダ、二つの結末

デビュー作『父、帰る』でも、息子を捨てた父親が戻ってきても、愛のなさは変わらない。結局、父親は死んでしまう。それはズビャギンツェフにとって心の中の父親を葬り去るための物語だった。しかし、その後も彼は愛なき親たちの物語を描き続けている。

「あなたは子どもの頃のトラウマを、いったいいつまで描き続けるつもりなんですか？」インタビューでそう聞かれたズビャギンツェフは、こう答えている。

父親が死んだ後、手紙が届いた。父親の娘……つまり自分の腹違いの妹からだった。そこには「お父さんは、あなたの映画『父、帰る』を見たんです」と書いてあった。映画を見たあと、父親はベランダに出て、一人で黙って一時間くらい、夜の景色を見ながらタバコを吸っていたという。それを読んで、ズビャギンツェフは「僕を五十年前に捨てた男は、息子のことを少なくとも一時間は考えてくれた」と思ったという。

このベランダの話から、『ラブレス』の結末には別の解釈ができる。ウクライナで子どもたちが殺されているというニュースを聞いたジェーニャが無言でベランダに向かったのは、息子のことを思い出したからかもしれない。『父、帰る』を見たズビャギンツェフの父が、一時間、ベランダにたたずんでいたように。

第10章　結局、犬殺しの正体は誰だったのか？
――『アンダー・ザ・シルバーレイク』

2018年／米国
監督・脚本：デヴィッド・ロバート・ミッチェル
主演：アンドリュー・ガーフィールド
発売：ギャガ

シルバーレイク、銀の湖。それはロサンジェルスの東北部、ハリウッドの西にある貯水池の名前で、その周辺の住宅地もそう呼ばれる。1910年代から30年代にかけて、そこにはキーストンという映画会社があり、サイレントの喜劇映画を量産していた。

その後は、ハリウッドに近いうえに家賃が安いため、映画や音楽で成功を目指す青年や芸術家たちが集まった。たとえば70年代には、まだ貧乏だったジョエル&イーサン・コーエン兄弟と、後にジョエルと結婚するフランシス・マクドーマンド、それにキャシー・ベイツが家をシエアして暮らしていた。

筆者は2000年代前半、ロサンジェルスに行くと、シルバーレイクに住むアーティスト、瑪瑙《めのう》ルンナさんの家によく泊めてもらった。ルンナさんはスタイリストで服飾アーティスト。さらに「セックス・ロバ」というインディーズのバンドでボーカルもしていた。

ルンナさんの旦那さんはサンセットストリップの書店「ブックスープ」のマネージャーだった。ジョニー・デップが経営していたライブ・ハウス「ヴァイパー・ルーム」の並びにあり、映画人がよく訪れる。テレビドラマ『LAW&ORDER：性犯罪特捜班』（1999年〜）の主演スター、マリスカ・ハガティも、駆け出しの頃、「ブックスープ」でバイトしていた。

書店に限らず、ロサンジェルスでは、レストランでもカフェでも洋服屋でも、店員の多くが俳優の卵で、オーディションを受けまくっている。夢工場ハリウッドの一員になる夢を見て、世界中から集まってきた夢追い人たち。そんな彼らが肩寄せ合って暮らす街がシルバーレイクだった。

だが、2000年代半ばからシルバーレイクは変わった。おしゃれな街として人気が出て、ジェームズ・フランコやジョセフ・ゴードン＝レヴィットなどのセレブも住人になり、家賃が高騰し、かつてのような貧乏な若者たちは住めなくなっていった。

ポップ・カルチャーへの愛と憎しみ

『アンダー・ザ・シルバーレイク』の監督、デヴィッド・ロバート・ミッチェルは十年ほど前からロサンジェルスに住み、シルバーレイクの変容を見てきたという。

ミッチェル監督（1974年生まれ）はホラー映画『イット・フォローズ』（2014年）で世

界的に注目された。製作費わずか二百万ドルの低予算で、全米で千四百万ドル以上を稼ぎ出したサプライズ・ヒットだった。セックスを体験した若者をイット（それ）と呼ばれる幽霊のようなものが追い続ける。監督によれば、イットとは、老いること、死ぬことの恐怖の象徴だという。それを遠ざけるには、愛する人を見つけるしかない。

ホラー映画らしくない、哲学的でロマンチックなテーマ、マイク・ニコルズの『卒業』（67年）やドストエフスキーの『白痴』の引用、そして美しい撮影。『イット・フォローズ』は作品として高く評価された。

そのミッチェル監督の新作が『アンダー・ザ・シルバーレイク』。今回はハリウッドを舞台にしたミステリーだが、ミッチェルらしく、全編にポップ・カルチャーへの愛と憎しみが満ち溢れた奇妙な映画だ。

『裏窓』のように、『めまい』のように

主人公サム（アンドリュー・ガーフィールド）は虚ろで哀しげな目でカフェに集う女の子たちを見ている。聞こえてくるのは1967年のヒット曲「かなわぬ恋」（アソシエイション）。「あなたの愛が消えてしまうことなんてあるの？」と問いかける相手に「いや、そんなことけっしてないよ」と答える、はかなくも美しいラブソングだ。

サムはシルバーレイクのアパートに住む三十代。何かの夢を抱いてこの街に来たらしいが、夢には手が届かなかったらしい。家賃を滞納してアパートを追い出される寸前だ。

サムはハリウッドにどんな夢を見ていたのだろうか。音楽関係かもしれない。寝室にはギブソンのレスポール・ギターとアンプ、ニルヴァーナのカート・コバーンのポスターがある。映画関係かもしれない。彼のアパートの居間にはヒッチコックの『裏窓』（54年）や『サイコ』（60年）、『大アマゾンの半魚人』など往年のハリウッド映画のポスターが飾られている。

サムが双眼鏡でアパートの中庭を覗く。まるで『裏窓』のジェームズ・スチュワートのように。そして謎の美女サラ（ライリー・キーオ）を見て、恋に落ちる。

サムはサラの飼い犬にビスケットをあげたことで彼女の部屋に招かれ、一晩を過ごす。だが、翌朝、サラは消えていた。サムはサラが忘れられない。彼はやはりヒッチコックの『めまい』（58年）で消えた美女キム・ノヴァクに魅せられたジェームズ・スチュワートのようにサラを捜してロサンジェルスを駆け巡る。不穏で、しかし甘くとろけるような音楽も、『めまい』のバーナード・ハーマンの音楽を模倣している。

サムはロサンジェルスであちこちのパーティに潜り込み、奇妙な人々と次々に出会う。ロバート・アルトマン監督の『ロング・グッドバイ』（73年）のフィリップ・マーロウのように。

サムはハリウッドに夢を求め、そしてそれは叶えられなかった

『第七天国』

サムは、墓地で行なわれた試写会に行く。映画人の墓が多い「ハリウッド・フォーエヴァー霊園」だ。ヒッチコックの墓石もあるが、遺灰は海に撒かれたので、その下には何もない。

霊園の地下にはクラブがあって、テーブルは墓石。サムのテーブルはピンクのハート型。それは女優ジェーン・マンスフィールドの墓石。マンスフィールドはマリリン・モンロー人気にあやかって登場したグラマー女優で、マリスカ・ハガティの御母堂。1967年に交通事故で亡くなった。三十四歳だった。

サムはそこで、女優ジャネット・ゲイナーの墓石も見る。彼の母が電話で話していた映画『第七天国』（27年）の主演女優だ。ゲイナーも交通事故がもとで死んだ。

『第七天国』の原題は「セブンス・ヘブン」。ジェファーソン・セブンスという名前の億万長者が事故死したというニュースが報じられる。彼は三人の女性とともに焼け死んだという。現場にはサラがかぶっていた白い帽子とサラの犬の死体があった。

そういえば、サラと過ごしたあの晩、『百万長者と結婚する方法』(53年)という映画を一緒に観た。サラの部屋には、その映画で百万長者と結婚しようとする三人のヒロイン(マリリン・モンロー、ローレン・バコール、ベティ・グレイブル)のバービー人形があった。サラは億万長者セブンスの三人の妻の一人だったのでは?

夢の王国の暗号

サムは、サラがプールで全裸で泳ぐ夢を見る。そのシーンは、映画『女房は生きていた』(62年)でマリリン・モンローが全裸で泳ぐシーンを模倣している。事故で死んだと思われたヒロインが実は生きていたというコメディだが、そのシーンの撮影後、モンローは謎の死を遂げた。モンローはケネディ大統領との不倫が原因で殺害されたと噂され続けている。サラも何らかの陰謀に巻き込まれたのではないか?

いっぽう、シルバーレイクでは犬が次々と誘拐されて殺される事件が起きていた。サムは本屋で『アンダー・ザ・シルバーレイク』というアングラ・コミックと出会う。シルバーレイクに映画会社があった頃、売れない俳優が、自分よりも犬のほうが俳優として売れたことに嫉妬して、犬を殺し続ける、という物語だった。

サムは『シルバーレイク』の作者を訪ねる。彼は、映画や音楽には秘密のメッセージが隠されていると説く。それはウィルソン・ブライアン・キイが『メディア・セックス』（76年）などの著書で主張したサブリミナル陰謀論に基づいている。

たとえば、レコードを逆回転すると、秘密のメッセージが隠されており、それが聴く者の無意識に作用して、彼らを操るというのだ。1990年に、ジューダス・プリーストのレコードのサブリミナル効果で息子が自殺したという親がジューダスを訴え、ブライアン・キイの理論が法廷で裁かれることになった。結果は無罪。現在、サブリミナル効果は科学的に否定されている。

しかし、『シルバーレイク』の作者はフクロウの顔をした謎の女に殺されてしまう。サムは陰謀論に取り憑かれ、レコードや雑誌に隠された暗号を解読して、サラの行方を知ろうとする。トファー・グレイス扮する友人がこんなことを言う。ロサンジェルスにやってきても、成功できる人はほんの一握り。成功できなかった者は、夢の王国に入る扉を開ける鍵がどこかにあるはずだと考える。その鍵は「ゼルダの伝説」のように、この街のどこかに隠されているんじゃないか？

ブロンソン・トンネル

サムが解読した暗号はロサンジェルスを見下ろすグリフィス天文台を示していた（とサムは信じる）。その山の下のトンネルにサムは入っていく。それはブロンソン・トンネルと呼ばれる50年代のB級ホラー映画でおなじみの洞穴で、『ロボットモンスター』（53年）、『地底の原始人キングゴリラ』（70年）などで怪物が隠れていた場所だった。

そこでサムはホームレス・キングなる老人と出会う。ホーボー（旅する浮浪者）は毎年、選挙でキングを選ぶと言われている。サラの部屋には謎のサインが残されていたが、それはホーボーたちが使う暗号だった。

さらにサムは「作曲家」という不思議な男と会う。彼はすべてのヒット曲は自分が作ったものだと言う。ロック・スターの伝説はみんな嘘だというのだ。「作曲家」の豪邸は手描きの絵のように見える。それは『オズの魔法使』（39年）のエメラルドシティを思わせる。オズの魔法使いは、本当は魔法などなくて、全部機械仕掛けだったと判明する。「作曲家」も、サムが信じて愛してきたロックの魔法を解いてしまう。ピアノでザ・フーの「ピンボールの魔術師」を弾く「作曲家」をサムはカート・コバーンのギターで殴り殺す。ザ・フーのピート・タウンゼントがステージでギターを叩き壊すときのようなスイングで。

このへんになるともはやサムの幻覚としか思えない。テレビで『ボディ・スナッチャー　恐怖の街』（56年）が流れている。あのブロンソン・トンネルで撮影された映画で、街の人々が異星からの侵略者と取り替えられていくSFホラーで、サムが観ているのは、主人公が真実を叫んでも誰も信じてくれないシーンだ。

この後、サムはパーティで、大富豪セブンスの令嬢と仲良くなり、二人でシルバーレイクで泳ぐが、令嬢は何者かに撃たれて死んでしまう。

陰謀論という狂気

結局、サラは生きていた。でも、死んでしまう。大富豪セブンスは事故死を偽装して、サラを含む三人の美女と酒池肉林の贅沢を楽しみながらピラミッドのような墓の中で死のうとしていたのだ。「これは死ではない」セブンスは言う。「天国だ」。セブンス・ヘブンだ。

大富豪たちの多くはそうやって死んでいく。その秘密を知った者は殺される。秘密を管理しているらしいホームレス・キングはサムを尋問する。「君もサラの犬にビスケットなんかやらなければ巻き込まれなかったのに」サムは答える。「別れた彼女が犬を飼っていたので、いつもビスケットを持っていれば彼女に会えると思って」

冒頭でサムが哀しげだったのは恋人に捨てられたからだ。彼女はコンタクトレンズの広告のモデルとなり、スターへの階段を上っている。

『アンダー・ザ・シルバーレイク』は『ラ・ラ・ランド』（16年）の裏返しのような映画だ。『ラ・ラ・ランド』のヒロイン、エマ・ストーンはハリウッドで女優を目指して奮闘している。「狂気こそが鍵なの」と彼女は歌う。ハリウッドの扉を開ける鍵は、夢見る狂気なのだと。『アンダー・ザ・シルバーレイク』のサムは、陰謀論という狂気に取り憑かれる。

エマ・ストーンとアンドリュー・ガーフィールドは『アメイジング・スパイダーマン』（2012年）で恋人同士を演じ、実生活でも恋に落ちたが、続編の興行的失敗の後、別れた。エマ・ストーンは『ラ・ラ・ランド』でアカデミー主演女優賞に輝き、トップ・スターに上りつめた。

『ラ・ラ・ランド』も『アンダー・ザ・シルバーレイク』もロサンジェルス名所巡りのような映画で、どちらもハリウッドの上にあるグリフィス天文台でロケしている。『ラ・ラ・ランド』のエマ・ストーンは天文台から文字通り天に昇っていく。しかしそれと対照的に、『アンダー・ザ・シルバーレイク』のアンドリュー・ガーフィールドは天文台の地下のトンネルに降りていく。

シルバーレイクから見るとハリウッドはグリフィス天文台のある山の向こう側になる。でも、サムはその山を越えて、成功を摑めなかった。そこで、山の下からトンネルで向こう側に入ろうとしたのだ。

はたしてサムの出会う美女たちは実在の人物なのだろうか?

謎解きの果てに

すべてが終わった後、サムは同じアパートに住む年配女性とセックスする。思い出を吹っ切るためか。女性が飼っているオウムは謎の言葉をしゃべる。何て言ってるの? 女性は答える。「知らないわ」

どうでもいいじゃないか。そんなこと。さんざん暗号解読し続けた果ての結論はそれだった。

そのことは、サムが墓場のパーティで踊っていたときに流れていたR.E.M.の歌「ホワッツ・ザ・フリークエンシー、ケネス?」の歌詞がすでに語っていたのだ。

「僕はアニメやラジオや音楽やテレビや映画や雑誌を、一生懸命勉強してきたんだ」けど、「僕は脳死してしまった」と。

サラが持っていた『百万長者と結婚する方法』のバービー人形の足もとに書かれていた記号はゾディアック文字と呼ばれる、1970年頃、サンフランシスコを恐怖に陥れたゾディアックと呼ばれた連続殺人鬼が新聞社に送った手紙に使われた暗号だ。映画『ゾディアック』（2007年）は、新聞記者がゾディアックの正体を突き止めることに取り憑かれて人生をほとんど無駄にしてしまう物語だった。監督のデヴィッド・フィンチャーは「これは、忘れることも人生には大切だというテーマだ」と筆者に語った。大事なのは人生なのだ。

『アンダー・ザ・シルバーレイク』で、サムは最後にとうとうテレビで『第七天国』を観る。ジャネット・ゲイナーは「上を見なくちゃ」と言う。

エンディングでかかる曲はやはりR.E.M.の「ストレンジ・カレンシーズ」。「僕はもう一度やり直したいからセカンドチャンスをくれ」という歌詞。サムは立ち直れるだろう。

サムはなんで年増の女性とセックスしたのかって？　うーん。

あんまり細かいこと考えすぎるとサムになっちゃうかもね。自戒を込めて。

第11章　最初と最後の女性は誰だったのか？
――『マザー！』

2017年／米国
監督・脚本：ダーレン・アロノフスキー
主演：ジェニファー・ローレンス
ハビエル・バルデム
発売：NBCユニバーサル・エンターテイメントジャパン

草原の真ん中に、築百年以上に見える古い家がぽつんと建っている。そこに住む若妻が妊娠するが、次から次に訪れる奇妙な客たちが、彼女を徹底的に苦しめる。

『ブラック・スワン』（２０１０年）のダーレン・アロノフスキー監督の『マザー！』は、内容を完全に極秘にして製作が進んだ。試写もほとんど行なわれないまま公開されたが……興行的に惨敗し、日本では劇場にもかからなかった。

この映画は二時間の拷問だからだ。

ヒロインはジェニファー・ローレンス。この映画で夫を演じるハビエル・バルデムとは二十歳くらい歳が離れている。当時、ジェニファーはアロノフスキー監督と交際しており、二人の年齢差もだいたいそれくらいだ。

夫は詩人だが、スランプに陥っているらしい。

皆殺しの天使

『マザー！』はこの家からカメラが一歩も外に出ない。カメラはつねにジェニファー・ローレンスに寄り添い、彼女の視点から物語が描かれる。家の外に出ようとするが、なぜか一歩も足を踏み出すことができない。アロノフスキーはルイス・ブニュエル監督の『皆殺しの天使』（1962年）にヒントを得たと言っている。

『皆殺しの天使』の舞台はメキシコ。大金持ちの邸宅に、上流階級の紳士淑女たちが集まってパーティを楽しんでいるが、なぜか邸宅から誰も出られなくなってしまう。ドアは開いているのに。やがて水や食料が尽きてしまうが、なぜ邸宅から出られないのか説明されない。『皆殺しの天使』は特権階級が自分たちの世界に閉じこもり、現実を知らないまま腐敗していくことを表現したのだと、解釈されている。つまり現実ではなく、象徴的な話なのだ。

では『マザー！』は何を象徴するのか？

黄色い壁紙

ジェニファーは、この映画を通して不安に苛まれる。そんなとき、必ず黄色い薬を飲む。飲むだけでなく、その黄色い液体を壁に塗りたくっている。

それは『黄色い壁紙』（1892年）という、シャーロット・パーキンス・ギルマンの短編小説を基にしていると思われる。

ヒロインは人妻で、精神を病んで、その療養のため、医師である夫と二人、田舎の古いコロニアル風の家を借りて住む。

この小説が書かれた十九世紀、英米では女性、特に既婚者の精神病が急増した。その治療として、静かなところで何もせずに暮らす「安静療法」が行なわれた。

しかし、『黄色い壁紙』のヒロインは、一人で何もせずに部屋にいるうちに、奇怪な妄想に囚われていく。

部屋には黄色い壁紙が貼られていて、複雑な模様が刷られている。人は意味のない模様の中に人の顔を見出す傾向がある（パレイドリアという）。ヒロインは毎日壁紙を見ているうちに、そこに鉄格子に閉じ込められている女性が見えてくる。そして自分も閉じ込められているような妄想に囚われていく。

『黄色い壁紙』を書いた作者のシャーロット・パーキンス・ギルマン自身が出産後にうつ病になり、医師に勧められて安静療法をしたが、うつはますますひどくなったという。

ギルマンは自分の意思で部屋から出て、人と会って話をし、仕事を再開し、よく運動もして、病気を治した。「安静療法は間違っていた」ということを訴えるためにこの小説を書いたのだと、彼女は述べている。

だが、『マザー!』のジェニファーの安静は乱され続ける。

恥知らずな夫婦

六十代の男(エド・ハリス)が訪れる。夫の友人らしいが、何者なのかよくわからない。この映画、登場人物について説明がない。名前も出てこない。彼らが訪問する理由もよくわからない。

ただ、エド・ハリスは非常にうるさく、下品だ。ウイスキーを飲みながらタバコをパカパカ吸う。

「タバコはやめて」とジェニファーが頼んでも、まったく耳を貸さずにタバコを吸い続ける。やがてエド・ハリスは、ゲホゲホと激しく咳き込む。夫のハビエルは彼を介抱し、家に泊めてやる。

翌日、彼の妻(ミシェル・ファイファー)が訪れる。これまた下品な化粧と下品な服装で、夫と同じく傍若無人に振る舞う。勝手に冷蔵庫を開け、勝手にカクテルを作って飲む。台所やら部屋を散らかしても片づけない。洗濯機を開けてジェニファーの下着を見たりもする。

この恥知らずな夫婦は、ドアを開けたままセックスを始める。『マザー!』が公開された2017年9月の時点で、エド・ハリスの実年齢は六十六歳。同じくミシェル・ファイファーは

突如として現われる恥知らずな夫婦は何者なのか?

五十九歳だ。

彼女はジェニファーに「あなたたち、子どもが出来ないみたいだけど、ちゃんとセックスしてる〜?」と言って笑う。

彼らは、夫ハビエルの書斎に入って、彼がとても大事にしているクリスタルを落として割ってしまう。

当然のことながらハビエルは怒り狂って夫婦を追い出す。ハビエルは「あいつらを二度とここに入れない」と、ドアに釘を打ちつけて書斎を封印する。

今度はエロ夫婦の息子兄弟が訪れる。ハビエルが弟ばかり可愛がると、兄は怒って弟を殺してしまう。

死んだ弟の葬式が、なぜかジェニファーの家で開かれる。弔問客がどんどん集まって、パーティを始めて、家を滅茶苦茶にする。

「キッチンはまだ直してる最中だから触らないで！」とジェニファーが叫んでも、彼らは勝手に流しのカウンターに腰掛けて壊してしまう。水道管が破裂し、台所は水浸しになる。

「もう嫌！　出ていって！」

ジェニファーは叫ぶ。夫のハビエルもさすがに怒って、弔問客を追い出す。

……いったい、これは何の話なのか？

創世記

ダーレン・アロノフスキーはロシア系ユダヤ移民の、厳格なユダヤ教徒の両親に育てられた。監督デビュー作『π《パイ》』（1998年）は、「数字の中に神の真理が隠されている」「それを解明できれば未来も予測できる」というユダヤ数秘学に取り憑かれた男の話だった。

その後もアロノフスキーは聖書やユダヤ教にこだわり続けた。『ファウンテン 永遠につづく愛』（2006年）は、ユダヤの神秘思想「カバラ」にあるセフィロト（生命の樹）についての話だった。

『マザー！』の前作『ノア 約束の舟』（2014年）は、もちろん旧約聖書に出てくるノアの方舟《はこぶね》の映画化だった。

そう、『マザー!』の水道管の破裂はノアの大洪水を意味している。

そしてエド・ハリスとミシェル・ファイファーの恥知らずな夫婦はアダムとイブだ。二人は知恵の実を食べるまでは恥というものを知らなかった。

エド・ハリスがゲホゲホと咳き込んで介抱されているとき、その肋骨のあたりに傷が見える。神はアダムの肋骨を一本取り出して人類最初の女性、イブを造った。

彼らの息子はカインとアベル。弟アベルばかり神に寵愛されることに嫉妬した兄カインは弟を殺してしまう。

これは間違いない。なにしろ、トロント国際映画祭のプレミア上映の後、アロノフスキー本人が舞台に上がってそう説明したのだ。

エド・ハリスとミシェル・ファイファーが落として割ってしまうクリスタルは、アダムとイブが食べた知恵の実。すると、彼らを追い出したハビエルはエデンの園からアダムとイブを追放した、神、ということになる。

では、ジェニファーは?

いいかげんな神

迷惑な客たちをすべて追い出したあと、ジェニファーは泣く。「ひどすぎる。私はあなたと二人でいたいのに」

ハビエルは反省して、ジェニファーを抱く。彼女は妊娠する。『マザー！』のタイトルどおり。

妻の妊娠を知ったハビエルは喜び、「インスピレーションが湧いてきた」と言って、一気に本を書き上げる。満足のいく出来で、「傑作だ」と妻に見せる。

マスコミがドッと押しかけてくる。ハビエルの本が大ベストセラーになったらしい。史上最大のベストセラーは聖書である。

夫の本のファンはどんどん家に入ってきて、なぜか部屋中のものを奪い始める。

「それ、うちのよ！」とジェニファーが抗議すると、彼らは「僕らにくれるとあなたの旦那が言ったんだ」と言う。

聖書にはこうある。

「神は言われた。『見よ、全地に生える、種を持つ草と種を持つ実をつける木を、すべてあなたたちに与えよう。それがあなたたちの食べ物となる」（「創世記」1章29節）

母なる地球

筆者がトロント国際映画祭でこの映画を見たとき、上映の前に小さなカードが配られた。そこには「母への祈り」と題した詩が記されていた。その書き出しはこうだ。

「足もとにまします我らが母よ」

新約聖書「マタイによる福音書」6章9節「天にまします我らが父よ」（文語訳聖書）の「天」を「足もと」に、「父」を「母」に書き換えた言葉だ。

「足もとにまします我らが母よ／我らに日々の糧《かて》を／我らに日々の水を／我らに日々の空気を／我らに日々の命をお与えくださり感謝します」

「我らが母」とは地球を意味している。

『マザー！』のジェニファー・ローレンスは、マザーアース（母なる地球＝ギリシャ神話におけるガイア）、つまり地球の象徴だったのだ。

上映後、アロノフスキー監督は、ハリケーンがアメリカを次々と襲っているとき、この映画のアイデアを思いついた、と言っていた。近年、アメリカでは地球温暖化によって異常に強力なハリケーンが発生したり、南部に雪が降ったり、カリフォルニアでは異常乾燥で山火事になったり、異常気象が続いている。それに対する憤りから『マザー！』が生まれたという。

配られたカードに書かれた「母への祈り」は、アメリカの女性作家レベッカ・ソルニットの書いた詩の一部。さらにこう続く。

我らが　我らの飢えを満たすために

利己的に渇望しないよう
破壊しないよう　お導きください
はかり知れない量だけれども
限りあるあなた　あなたこそ
地球こそ
我らの知る唯一の命の宿る球ですから
アーメン

つまりジェニファー・ローレンスに対する群衆の虐待は、地球に対する環境破壊を意味していたのだ。

神の子

群衆はハビエルの写真に向かって祈り、儀式をする。宗教の始まりだ。だが、彼らの中にいくつかの派閥が生まれ、小競り合いを始め、それがエスカレートして銃撃戦に発展、あちこちで爆弾が炸裂し、戦争になる。
大混乱の中でジェニファーのお腹はどんどん大きくなり、出産が近づく。ハビエルは妻を放

ヒロイン(ジェニファー・ローレンス)は家の中に閉じ込められた存在だ

置して自分の額に黒い墨のようなものを塗っている。カトリックの聖灰水曜日《せいはいすいようび》の儀式だ。

ジェニファーの陣痛が激しくなる。すると陣痛に合わせて、家の壁から鼓動が響く。この家は彼女自身だ。だから彼女はこの家を出ることができない。

激しさを増す戦火の中、ジェニファーはかわいい赤ちゃんを産む。

神の子、キリストだ。

ジェニファーが幸福と達成感に包まれたのも束《つか》の間《ま》、赤ちゃんは群衆に奪われ、キリストのように殺されるばかりか、バラバラにされ、食べられてしまう！

これはカトリック教会の聖体拝受を意味している。ミサでは、キリストの最後の晩餐《ばんさん》になぞらえてワインと聖餅《せいへい》が配られる。ワインはキリストの血、聖餅はキリストの肉を意味する。

「私の子を殺した！」

怒り狂うジェニファーは、逆に群衆から袋叩きにされる。

命からがら、地下室に逃げ込んだジェニファーは、暖房用ボイラーの燃料タンクに火をつけて家ごと自爆する。

傲慢な神

『マザー！』のジェニファー・ローレンスは徹頭徹尾、虐待され続ける。殴られ、蹴られ、階段から突き落とされ……。痛々しくてとても見ていられない。興行的な失敗の理由の一つはそれだろう。

アロノフスキーが女優を肉体的にも精神的にも追い詰めることは有名だ。『レクイエム・フォー・ドリーム』（２０００年）では清純女優だったジェニファー・コネリーに秘密クラブでレズビアン・ショーを演じさせ、『ブラック・スワン』でも清純派だったナタリー・ポートマンにオナニーやレズビアンを演じさせた。

作品を生み出すという点において、映画監督は神のような存在だ。自分を本当に神のように思いこんで俳優をいたぶる監督もいる。

ただ、『マザー！』当時、アロノフスキー監督とジェニファー・ローレンスは交際中だった。

そして、アロノフスキーの脚本を読んでジェニファー自身がこの役をやりたいと志願したという。交際と脚本の前後関係はわからないが、若い妻の苦難にインスピレーションを受けて作品を生み出すハビエルは、どうしてもアロノフスキー自身に見えてしまう。

「ハビエル・バルデム扮する詩人はあなた自身ではないですか？」

ウェブマガジン「VULTURE」のインタビューでそう聞かれたアロノフスキーは「彼だけじゃない」と答えている。

「『ブラック・スワン』のナタリー・ポートマンも、『レスラー』（08年）のミッキー・ロークも、俺なんだ」

『ブラック・スワン』のバレリーナ（ナタリー・ポートマン）も、『レスラー』のプロレスラー（ミッキー・ローク）も、自分が打ち込んでいる芸術——バレエという芸術、プロレスという芸術——のために滅んでいく。そのためには周囲の人すらも犠牲にする。

『ノア　約束の舟』のノア（ラッセル・クロウ）もそうだった。神から選ばれた善良な人物のはずなのに、方舟を造るために妻や子どもに対して暴君として振る舞う。ノアにとって方舟こそすべてで、そのためなら何を犠牲にしてもいいという本末転倒。みんなアロノフスキー自身なのだ。

ミューズとファウンテン

『マザー！』では、ハビエルを取材しに来た女性記者（クリステン・ウィグ）が、妻ジェニファーにマイクを向けて「あなたが彼にとってのミューズ（芸術家に霊感を与える創造の女神）なんですね？」と言う。

アロノフスキーのミューズはジェニファーが最初ではない。

彼は女優レイチェル・ワイズとの交際・結婚の中で『ファウンテン　永遠につづく愛』を作っている。

主人公（ヒュー・ジャックマン）は医師で、妻（レイチェル・ワイズ）を難病から救うための薬を開発している。

「僕にこれを完成させてくれ」という主人公のセリフから映画は始まり、生命の樹を使って、ついに薬を完成させる。「やった、完成した」というセリフで映画は終わる。

『ファウンテン』における「薬」は、この映画そのもののメタファーだ。冒頭の「これを完成させてくれ」と結末の「やった、完成した」はアロノフスキー自身の言葉だ。

そしてファウンテン（泉）というタイトルは、アイデアの源泉、当時のミューズだったレイチェル・ワイズをも意味しているのだろう。

この私的な企画『ファウンテン』の製作でアロノフスキーは大変な苦労をしている。最初、製作費は約七十億円の見積もりだったが、どこの映画会社もこの企画に出資しなかった。そこでアロノフスキーは自分と妻レイチェル・ワイズのギャラを削り、二人で持ち出して、なんとか『ファウンテン』を製作する。

『ファウンテン』の主人公は、妻を救う薬の開発に没頭するあまり、妻に話しかけられても強く「邪魔するな」と言う。「妻のため」なのに妻をないがしろにする。その本末転倒ぶりが、アロノフスキー自身と重なる。

『ファウンテン　永遠につづく愛』は、批評家には「独りよがり」と叩かれ、興行的にも大失敗に終わった。アロノフスキーとレイチェル・ワイズは離婚した。愛は永遠に続かなかった。

エピローグ

『マザー！』には、実はプロローグとエピローグがある。

プロローグは一人の女性が、真っ赤に燃える映像で始まる。顔はただれているが、ジェニファー・ローレンスではない。彼女の家が完全に焼き尽くされたところに、ハビエル・バルデムが来る。彼は焼け跡からクリスタルを拾う。ハビエル・バルデムがこのクリスタルを発動させると、焼け落ちたはずの家が再生され、ベッドの上にジェニファー・ローレンスが出現する。

プロローグの女性は、ジェニファー・ローレンスの前のハビエルの妻だ。レイチェル・ワイズにあたるのだろうか。

『マザー！』公開直前、ジェニファー・ローレンスとアロノフスキー監督は宣伝ツアーのため、二人で世界中を回った。ジェニファー・ローレンスは業界誌「バラエティ」のインタビューでこう言っている。

「『マザー！』の評判が悪いから、宣伝ツアー中の彼（アロノフスキー）は取材に対して自己弁護を繰り返してたの。彼は、私にも協力を求めてきた」

ジェニファーは最初、言われたとおり、アロノフスキーを弁護し続けた。しかし、取材が終わってホテルの部屋に帰っても、アロノフスキーは『マザー！』を擁護する言葉を彼女に要求し続けたという。やがてジェニファーは精神的な限界を感じ、ツアーの最中にアロノフスキーと別れたそうだ。

『マザー！』で、傲慢な夫の犠牲になったジェニファーは爆死する。彼女の焼けただれた胸から、ハビエルはクリスタルを取り出す。それを使ってふたたび家を再生し、新しい妻がベッドに出現する。彼女はジェニファー・ローレンスではない。三人目の妻だ。

アロノフスキーはそうやって作品を作っていくのだろう。

第12章 なぜ父は巨大な車を押し込むのか？
——『ROMA／ローマ』

2018年／米国・メキシコ
監督:アルフォンソ・キュアロン
主演:ヤリッツァ・アパリシオ
独占配信:Netflix

『ROMA／ローマ』（2018年）は、イタリアのローマではなく、メキシコシティの中心部にあるコロニア・ローマ地区が舞台。そこで育ったアルフォンソ・キュアロン監督（1961年生まれ）の、十歳前後の頃、つまり71年前後の思い出を描いたのがこの映画だ。

キュアロン監督は、子どもが生まれなくなった近未来世界を描いた『トゥモロー・ワールド』（06年）や、宇宙ステーションの事故で、宇宙空間に放り出される宇宙飛行士（サンドラ・ブロック）のサバイバルの物語『ゼロ・グラビティ』（13年）でハリウッド的な成功を収めた。どちらも、デジタル技術を駆使してワンショットのように加工した長い長いカットで世界を驚かせた。

そんな最先端の映像テクニックを使いこなすキュアロン監督が、四十七年前のメキシコを描こうとした。もちろん普通の映画であるわけがない。キュアロン曰《いわ》く「ハリウッド映画的な語り口」を使っていない。つまり登場人物の感情が言葉などでわかりやすく示されない。また、背景となる当時のメキシコの社会状況についての説明がない。そのため、観る人によっては、この『ROMA／ローマ』がいったい何についての話なのかすらもわからないだろう。

なにしろキュアロン自身「ミステリーだ」と言っているほどだ（メイキング・ドキュメンタリー『ROMA／ローマ　完成までの道』Netflixより）。だが、多くの雑誌やビデオのインタビューで、そのミステリーを解く鍵を自ら語っている。

水たまりの飛行機

『ROMA／ローマ』は、タイル張りの床から始まる。これはあとで、キュアロン監督が子どもの頃に住んでいた、ローマにあった家の、屋根なしガレージの床だとわかる。

飼い犬がそこにフンをするので、メイド（家政婦・女中）が掃除しているのだが、そのメイドこそが、この映画の主役クレオ（ヤリッツァ・アパリシオ）である。

クレオは、キュアロン家の家政婦だったリボリア・ロドリゲスをモデルにしている。キュアロンの三兄弟と一人の妹は、赤ん坊の頃から乳母として自分たちを育てた彼女を「リボ・ママ」と呼び、十代の頃の自分を描いた『天国の口、終りの楽園。』（01年）にも主人公のメイド役で出演させている。

キュアロンの幼い頃の記憶の中で、リボ・ママは毎日、家のどこかを掃除していたという。

床掃除のシーンは、キュアロン監督のハリウッドでの第一作『リトル・プリンセス』（1995年）にもあった。バーネットの古典『小公女』の映画化で、主人公セーラは寄宿学校に預けられるが、父が死んで月謝が払えなくなり、校長から女中扱いされ、廊下を掃除させられる。そのシーンに『ROMA／ローマ』の冒頭は似ているのだ。

そんな風に、『ROMA／ローマ』のあちこちに、さまざまなキュアロン作品の原点が隠されている。すべての道はローマに通ず。

タイトルバックの間、カメラはずっと床を撮り続ける。クレオはいつも床を掃除したり家の掃除をしたり、下ばかり向いて暮らしている。だが、その床の水たまりには空が映っている。そして水たまりを飛行機が横切る。

それは、デジタルで合成されている。

モノクロ、ワイド、横移動

VFXを担当したのはMPC（ムービング・ピクチャー・カンパニー）。『ジャングル・ブック』（16年）や『ライフ・オブ・パイ　トラと漂流した227日』（12年）でデジタルによる動物を作った。『ROMA／ローマ』では、現在のメキシコの街やセットの背景を加工して四十七年前のメキシコを再現している。

『ROMA／ローマ』はモノクロ映画だが、昔のモノクロ映画とは決定的に違う。とにかくグレーの階調も画面の粒子もきめ細かく、ごくごく細部までディテールが見えるのだ。

撮影にはアレクサのデジタル65ミリカメラが使われている。通常の映画のデジタルカメラの解像度をフィルムの35ミリだとすれば、これは70ミリフィルムにあたる。細部までクリアに見える。それを使った理由をキュアロン監督は「パノラマのようにしたかった」と言う。

撮影は当初、大学時代からのパートナーだったエマニュエル・ルベツキが担当する予定だったが、彼のスケジュールが折り合わず、キュアロン自身が撮影も監督した。

いったんカラーで撮影し始めたが、撮り始めてしばらくしてモノクロで見せることにした。「自分の記憶の中の映像は色鮮やかではない」からだ。

また、画面はパノラマのように横に広い画角で、あまり人物に近づかない。移動する人物と並行に横移動したり、パンで風景を捉えたりするが、その動きには感情が込められていない。キュアロンは「タイムスリップして、過去に行ったが、自分は幽霊みたいな存在なので、過去に触れることができない」と言う。

コメットさん

キュアロンはシナリオを書くよりも先にまず、自分が育った家を再現した。似たような家を見つけて、当時の家具や電気製品を集めて、できるだけ自分の記憶に合うようにそこを改造した。

その家があるコロニア・ローマは東京でいえば青山や渋谷のような、映画館やカフェがあるおしゃれな街。キュアロンは「中産階級だ」と言うが、かなり大きな家だ。父アントニオ、母ソフィア、長男トーニャ、次男パコ、長女ソフィア、三男ペペ、それに母の母テレサの七人家族。住み込みのメイドもクレオとアデラの二人雇っている。

キュアロンのメイドだったリボ・ママは当時二十八歳くらい。十八くらいで田舎から出てきて、十年も住み込みで働いてきた。

昔は日本でも、お金持ちの家に行くと、中学を卒業してすぐに都会に出てきたような若い女中さんやお手伝いさんがいた。そういう女性たちを主役にしたドラマもいくつかあった。中山《なかやま》千夏《ちなつ》の『お荷物小荷物』（１９７０～71年）や、九重佑三子《ここのえゆみこ》の『コメットさん』（１９６７～68年）などだ。

『コメットさん』は宇宙から来たお手伝いさんで、メリー・ポピンズのように魔法を使えるのだが、この『ＲＯＭＡ／ローマ』の舞台になっている70年頃、メキシコでも放送されていて、大人気だった。一時、九重佑三子はメキシコでいちばん有名な日本人だったという。おそらくキュアロンも観ていただろう。

贖罪の映画

クレオはキュアロン家の末っ子ペペを学校に迎えにいく。ペペは金髪。この家の「ご主人様」たちは白人で、クレオたちメイドはメキシコの先住民、いわゆるインディオだ。クレオがメイド仲間のアデラと話していると、ペペは「何を言ってんのかわかんないよ。その言葉、使わないで」と言う。クレオとアデラが使っているのは公用語のスペイン語ではなく、先住民ミシュテカ族の言葉だ。

アメリカ映画に登場するメキシコ人は褐色の肌をしたインディオばかりだが、メキシコの政治家や財界人は白人ばかりだ。スリー・アミーゴスと呼ばれてハリウッドで活躍する三人のメキシコ人監督、アルフォンソ・キュアロン、アレハンドロ・G・イニャリトゥ、ギレルモ・デル・トロも白人だ。長い間、スペインの植民地で、スペイン人が大地主として先住民に君臨していたので、今も人種間に大きな経済格差、文化的断絶がある。

「私は子どもで、メキシコ社会の階層や人種の構造についてまるでわかってなかった」

キュアロン監督は「バラエティ」誌のインタビューでそう語っている。

「白人で、お金持ちで、特権階級の中で守られて育ったので、リボが置かれていた状況に気がつかなかった。その罪悪感がこの映画を作った最大のきっかけなんだ」

『ROMA／ローマ』はキュアロンが贖罪《しょくざい》のために作った、非常に個人的な映画だ。

クレオの一日

クレオは七人家族分の洗濯を手でしている。

キュアロン家にはテレビやステレオがあったのに、電気洗濯機は買わなかった。これで彼らのメイドに対する考え方がわかる。

クレオが屋上で洗濯物を干していると、あちこちの屋上でクレオのような先住民のメイドたちが洗濯物を干しているのが見える。

兄と拳銃ごっこをしていたぺぺが撃たれて死んだふりをする。クレオも一緒に死んだ真似をして言う。

「死ぬのって結構好き」

夜、家族そろってソファでテレビを観ている。クレオは家族に菓子などを出しながら、一瞬テレビを観ようと床に座るが、すぐに「お茶持ってきて」と言われて、キッチンに行く。働き詰めだ。

クレオは子どもたちをみんな寝かしつけると、家中の電気を消して回る。

女中部屋でもクレオとアデラはまだ働く。洗濯物を畳んでいるのだが、「電気を消せと奥さんがうるさいから、電気を消しましょう」と言って、ロウソクにする。

メイドは家でいちばん遅くまで起きて働き、明日もいちばん早く起きて働く。メキシコの先住民は白人の奴隷なのだ。

シナリオなしの撮影

クレオを演じるヤリッツァ・アパリシオはオーディションで選ばれたが、保育学校を出た教師志望で、演技はまったく経験がなかった。ただ、母はメイドだった。キュアロンは彼女以外の子どもたちも子役ではない、演技未経験者を選んだ。プロの俳優は、母ソフィア役のマリーナ・デ・タビラくらいだった。

シナリオは使わなかった。シーンごとにその場でだいたいの動きが決められた。基本的に順撮りで撮影され、その後に何が起こるか、俳優たちは知らされなかった。

キュアロンはヤリッツァ・アパリシオにキャラクターの心理や感情について演出しなかった。素人の彼女はただ、言われたとおりに行動し、表情も特に作らなかった。

なぜなら、リボ・ママがそうだったからだ。少女の頃から住み込みのメイドとして働いてきたから、どんなにひどいことを言われても感情を表に出さない、表情を変えない人になった。

物語は女中クレオの視点から語られていく

表情豊かに、怒ったり、笑ったり、泣いたりするのは、同じ身分同士で暮らす者だけに許される贅沢なのだ。

フォード・ギャラクシー

キュアロンの父親は原子物理学者で、国際原子力機関のメンバーだった。

『ROMA／ローマ』の父、アントニオ博士は巨大なアメリカ車、フォード・ギャラクシーに乗って帰宅する。冒頭でクレオが掃除していたガレージに入ってくるが、車幅が大きすぎて左右の壁にぶつかりそうなのを無理やりねじ込んでくる。

まるでレイプのようだ。家庭からはみ出しそうな父のエゴのようにも見える。

「父は家族に窒息しそうだったんだ。今では彼の気持ちも理解できる」

大人になって離婚したキュアロンは言う。

フォード・ギャラクシーのフロントグリルのエンブレムがクローズアップになる。それは王冠だ。

父は夕食も他の家族と一緒のテーブルにはつかない。妻との間にはすでに亀裂がある。

夜、子どもたちが寝てから、妻を怒鳴りつける。

「ガレージが犬のフンだらけだ！　冷蔵庫の中もグチャグチャだ！」

この後、妻がクレオを「ガレージ掃除しときなさいよ！」と怒鳴るシーンがある。男尊女卑の暴君の怒りは最下層の女中に落ちていく。

この家は、メキシコ社会の縮図だ。

虐殺の時代

日曜日、週に一度の休み、クレオとアデラは二人で遊びに出かける。二人が商店街を走って行くのを、カメラがずっと横に並行移動しながら撮影する。高級でセンスのいいブティックやカフェが並んでいる。これはなんと、この映画の撮影のために建てられたセットだ（大通りと交差した先の風景はデジタル合成）。

街には、「ＰＲＩ」と書かれたポスターがあちこちに貼られている。ＰＲＩ（制度的革命党）は一党独裁でメキシコを支配してきた与党で、ポスターには当時のエチェベリア大統領の顔も入っている。

PRIは、1910年から17年にかけて起こったメキシコ革命を継続させるのがモットーで、白人に独占された農地を先住民や農民に分配する農地改革を公約しているが、実際は改革は進まず、白人の独占支配が続いている。業を煮やした先住民や学生の間で反政府運動が高まっていた。

これに対してエチェベリア政権は警察や軍の暴力による弾圧を強め、何度か虐殺事件を起こしていた。『ROMA／ローマ』の食卓で子どもが「兵隊さんが子どもを撃ち殺しちゃったって」と言うのは、それを意味している。

クレオの恋人

クレオとアデラは映画館の前でデートの相手に会う。アデラのボーイフレンドのラモンは「映画は予告編から観たい」と言う。彼は映画が大好きで、しかも、後でわかるがロックンロールも大好きなナイスガイだ。

しかし、クレオの相手フェルミンはろくでなしだ。「映画はいい。他に行こう」と言って、クレオをホテルに連れ込む。

セックスの後、フェルミンは全裸でカーテン・レールを振り回して棒術の真似事をしながら

「俺は武道に命を懸けてるんだ！」と言う。「俺はガキの頃から貧乏で、みなしごみたいに育ったから、武道だけがすべてなんだ！」と勇ましいことを言うので武道の師範にでもなるのかと思うが、実は彼は、ロス・アルコネス、英語で言えばファルコンズ、日本語で言えば「ハヤブサ団」という右翼暴力集団の一員。ＰＲＩ政府が、反体制勢力へのカウンターとして、若者を集めて東洋の武術を訓練した。

「アリガトウゴザイマシタ！」と挨拶するフェルミンは大真面目だが、ペニスをぶらぶらさせて、男のマヌケさを体現している。

犬のフン

そんな幼稚な恋人を見つめるクレオの表情は優しい。

「リボ・ママは私にとってお母さんで、彼女にも恋愛をしたりする私生活があるんだということに、まるで気がつかなかった」とキュアロンは言う。彼は大人になってから、リボ・ママに話を聞いて、二十代の彼女に何があったのか初めて知った。

また日常が始まる。クレオは朝一番に起きて、子どもたちを起こしていく。一人一人に「朝だよ」「起きてね〜」とささやき、優しく起こしていく。ぺぺのために半熟のゆで卵を割ってやる。

父アントニオはカナダの原子力会議に出かける。見送る妻ソフィアの表情は怒りに歪んでいる。夫に愛人がいることを知っている彼女は、クレオに「犬のフンを掃除しとけって言ったでしょ！」と八つ当たりする。

犬のフンは掃除しても掃除してもまた犬が散らかしていく。永遠に終わらない労働を象徴している。

妊娠

何週間か後の日曜日、クレオはフェルミンと映画館に行く。

上映しているのは『大進撃』（66年）。フランスのコメディアン、ルイ・ド・フュネス主演で、第二次大戦中、ナチス支配下のフランスからイギリス軍の兵隊がグライダーで脱出するアクション・コメディ。

「わたし、妊娠してる」

クレオが告げると、フェルミンは逃げてしまう。

クレオはソフィアにそれを話す。それまでクレオに冷たくあたっていたソフィアは涙を浮かべて彼女を抱きしめる。男に逃げられた女同士。

ソフィアは夫のフォードを運転して、クレオを産婦人科に連れて行く。わざとフォードを乱暴に運転してメチャメチャに傷つける。フォードは夫の象徴だから。

クレオが産婦人科で新生児室を見ているとき地震が起こる。彼女は何かを感じて子どもを産む決心をする。

その後、立ち並ぶ十字架が映る。おそらくクレオの故郷オアハカ州だろう。当時、オアハカ州では激しい地震が頻発し、多数の犠牲者が出ている。

その十字架の横に貼られた政権与党ＰＲＩのポスターには大きくバツが描かれている。当時、農村部では貧困層を救わないＰＲＩに対する反発が高まっていた。

アシエンダ

クリスマス、父親のいない一家は、母の親戚のアシエンダに行く。アシエンダとは、大地主の農園とそれを管理する邸宅のこと。

城のような大豪邸の壁には犬の首の剥製《はくせい》がいくつも飾られている。ここの大地主、ドン・ホセの飼い犬の剥製だという。地元民はドン・ホセを憎み、その犬を殺すという。地主と小作人との関係は悪化している。

集まった大勢の親戚がピクニックするのを長い移動で撮影している。キュアロンは一人一人を演出しながら試行錯誤し、何十回も撮り直している。

大人たちは森の中で銃を撃って遊んでいる。全員白人だが「白人はダメだなあ」と言ってふざけている。「彼女は銃が巧《うま》いから、この土地を接収しにくるぞ」と言って笑う。政府は大地主から土地を取り上げて農民に分配することを公約しているが、実行されないので農民たちに不満がたまっている。

そういう政治や社会は『ROMA／ローマ』では背景の奥に隠されている。いちばん手前にいるのはクレオ。その次に子どもたち、そしてソフィアがいる。彼らは社会的な階級差や、軍事化や、反政府運動に、関わらない。キュアロンも子どもだったから理解していなかった。

しかし、社会の崩壊は、家の崩壊とシンクロしていく。

神々の黄昏

豪邸の広間でクリスマスパーティ。またしてもカメラが水平移動で金持ちたちの優雅な宴を捉える。

流れている歌はイヴォンヌ・エリマンの「私はイエスがわからない」。キリストをヒッピーとして捉えたミュージカル『ジーザス・クライスト・スーパースター』（1971年）の挿入歌だ。アメリカではヒッピーの時代が終わりつつあったが、メキシコでは植民地時代からの白人による先住民の搾取が続いている。

パーティの客が、日本では森山加代子《もりやまかよこ》のカバーでおなじみ「メロンの気持」で踊っている間、クレオたち使用人はみんな地下に潜っていく。

地下には貧しい庶民の酒場があり、民族音楽を歌い、踊っている。上はヨーロッパの貴族、下は抑圧される先住民。

新年の花火が引火して野火になる。使用人たちがいないので、白人だけで消そうとするが、ふだん何もかも使用人まかせなので火の消し方もわからない。

クランパス（ヨーロッパのナマハゲ）のぬいぐるみを着ていた男が、ぬいぐるみを脱いで、歌い出す。ノルウェー語で少年時代の思い出について歌っているのだが、ひどく悲しげだ。

白人支配の社会の足もとにも火が迫っている。アシエンダの描写はルキノ・ヴィスコンティ監督作品に似た趣《おもむき》がある。ヴィスコンティはイタリアの貴族出身で、滅びゆく貴族社会という「神々の黄昏」を華麗に退廃的に描いた。

ゾベック教授

クレオはバスに乗って故郷のオアハカ州に帰る。広場では「人間大砲」をやっている。巨大な大砲の中に人間を入れて飛ばす見世物だが、サーカスではなく政権与党のプロパガンダだ。

「政府はインフラを整備します。きれいな水を与えます」とアナウンスしているが、周りを見ると舗装もされず、ぬかるみだらけで、人々は掘っ立て小屋に暮らしている。

クレオが里帰りしたのは、自分を妊娠させたフェルミンに会うためだ。

彼は、サッカー場でロス・アルコネス（ハヤブサ団）の一人として合同演習をしている。『燃えよドラゴン』のハンの島みたいに、男たちが「イチ！　ニ！　サン！　シ！」と日本語で言いながら、竹の棒を振り回している。

「オリンピックにでも出るの？」

クレオは皮肉っぽく言う。この数年前の1968年にメキシコ五輪があった。政権党が国民の不満から関心を逸らすために行なった。その後にサッカーのワールドカップもやった。だが、現実の格差は解消されるはずもない。

そこに一人のレオタードを着た筋骨《きんこつ》逞しい男が現れる。

「ゾベック教授でしょ？」

クレオは言う。

教授といっても学者ではなく、「メキシコのフーディーニ」と呼ばれた脱出芸人だ。元プロレスラーの彼は、67年頃、テレビで脱出芸を見せて人気になった。

彼の芸はルチャリブレ（プロレス）映画『ブルーデモンとゾベック』（71年）で見ることができる。ゾベックはビキニ姿の美女たちに鉄の鎖で身体中を縛られて棺桶《かんおけ》に入る。その棺桶に火が放たれるが、ゾベックは見事に脱出する。キュアロンは子どもの頃、テレビで見てそれを覚えていた。

ゾベックは72年にショーの最中、ヘリコプターの縄梯子から転落して死亡したが、政府による暗殺説もある。ひそかにハヤブサ団に極意を教えていたことを隠すために殺されたのだと。キュアロンはその噂を映像化しているのだ。

ゾベックはハヤブサ団の前で目隠しして、両手を頭の上で合わせて（それがゾベックの決めポーズ）、さらに片足を上げて一本足で立ってみせる。

「簡単そうに見えるが、これができるのは達人だけだ」

ハヤブサ団の若者たちは真似てみるが、みんなグラグラ揺れて倒れてしまう。ところが、クレオはいとも簡単にこれをやってしまう。こんなの茶番よ。男たちってバカ、とでも言うように。

クレオはフェルミンと妊娠について話そうとするが、彼は「俺の前に二度と現れるな」と言って逃げてしまう。

さらにクレオは実家の農地が政府に接収されると聞かされる。金持ちの土地を分けると約束しながら貧乏人から土地を奪っている。クレオには帰る家もなくなってしまう。

宇宙からの脱出

さて、子どもたち四人はほとんどアップになることなく、性格も明確に描き分けられない。ただ、末っ子のペペも次男のパコも宇宙に興味があるらしい。

アポロ11号が月に着陸した直後なので、キュアロンも含めて世界中の子どもたちが宇宙飛行士にあこがれた。アシエンダでのパーティでもぺぺらしい子どもが宇宙服を着て遊んでいる。でも、こんな宇宙服を買ってもらえた子どもは金持ち息子だけだ。クレオの実家の近所では、子どもが汚いバケツをかぶって宇宙飛行士の真似をしている。はっきりと階級差がわかる。

クレオは子どもたちを連れて、ローマの映画館にハリウッド大作『宇宙からの脱出』(69年)を観にいく。衛星軌道上の事故で宇宙を漂流する飛行士を船外作業機で助けるのがクライマックス。キュアロンにとって後に『ゼロ・グラビティ』を撮る動機になった。

キュアロンをいつも映画に連れて行ってくれたのはリボ・ママだった。

「映画は孤独の友達だ」

キュアロンは言う。

映画館の近くで、子どもたちは、父が若い女性とデートしているのを目撃してしまう。それを母に告げた次男パコは、母に八つ当たりされてぶたれる。パコはむしゃくしゃして長男と喧嘩して、ものを投げて家を滅茶苦茶にする。

クレオがアントニオの部屋を見ると、結婚指輪が置いてある。もう離婚は決まっていた。母は酔って、父のフォードを壁にガンガンぶつける。そしてクレオに言う。「しょせん私たち女には居場所なんてないのよ」「誰も助けてなんかくれないのよ」

男尊女卑を意味する「女三界《おんなさんがい》に家なし」は仏教の古い言葉だが、70年代のメキシコでも同じだ。

聖体祝日の虐殺

クレオが生まれてくる子のためにベビーベッドを買おうと、テレサおばあちゃんに連れられて家具屋さんに行く。

家具屋はビルの二階で、窓の下に道路が見える。道の左側から反政府運動のデモ隊が来る。カメラが右にパンするとそこにハヤブサ団がいて、デモ隊に銃撃を始める。ワイドなスクリーンとカメラの左右の動きが最大限に発揮される大パノラマ。

それは1971年6月10日のカトリックの聖体祝日に起こった「聖体祝日（コーパス・クリスティ）の虐殺」。犠牲者は最大百二十人と言われている。

家具屋の中にもハヤブサ団が来る。銃をかまえたフェルミン。クレオは倒れる。早産だ。

銃弾が飛び交う中を妊婦を連れて脱出するシーンは、キュアロンの『トゥモロー・ワールド』でも描かれている。出生率がゼロになった近未来、全人類が絶望して自滅していく中、主人公はたった一人生まれた子どもをなんとか逃がそうとする……。

クレオの子どもを救おうとする産婦人科医たちは俳優ではなくて本物の医者。この場面もクレオを演じるアパリシオは何が起こるか事前に知らされていない。

「残念ですが……」

死産だった。クレオが泣き崩れるのは演技ではない。アパリシオはクレオとして自分の子どもの死に泣いたのだ。メイキングを見ると、カットした後、キュアロンがアパリシオを抱きしめて「ごめんね、ごめんね」とわびている。映画作家は映画のために時に悪魔になる。

天国の口

子どもを失ったクレオと夫を失ったソフィアは子どもたちを連れて、海水浴に行く。レストランで落ち込んでいる一家の横で、幸福そうな結婚式が始まる皮肉。

家族は海辺に来た。キュアロンの映画のクライマックスはいつも海辺だ。『天国の口、終りの楽園。』も『トゥモロー・ワールド』もそうだった。

子どもたちが波と遊ぶ。クレオは浜辺で見ている。彼女は泳げない。貧しい田舎の学校にはプールなどなく、泳ぎを習えない。

ところがパコと妹のソフィアは波に呑まれて沖に流されてしまう。クレオは泳げないのに子どもたちを助けに海に入り、深みに進んでいく。

この浜辺のシーンはカットなし約五分の超ロングテイク。沖に向かっていくクレオをカメラは並行して追っていく。これは海辺に作った桟橋《さんばし》を使って撮影された。また、いくつかのショットをデジタルでつないだり、地平線に沈む太陽の位置を補正したりしている。

命がけで子どもたちを救ったクレオはパコとソフィアを抱きしめたまま浜辺で崩れ落ちる。「クレオが僕たちを助けてくれたんだ」と言うパコにクレオは「ごめんなさい……私はあの子（赤ん坊）が欲しくなかった……」とつぶやく。

彼女は無表情の下でずっと罪悪感と戦っていた。その罪を贖《あがな》うために今、命を捨てようとしたのだ。海に洗われたクレオの肩をソフィアとペペが、トーニャが抱く。抱き合う六人の後ろから地平線に沈む寸前の太陽が差し込む。後光を背負った聖家族のように見える。

『ゼロ・グラビティ』のサンドラ・ブロックも幼い娘を失い、生きる気力を失っていたが、水に流され、洗われ、水から立ち上がり、再生する。

山椒大夫

海辺で抱き合うクレオたちを見て、溝口健二《みぞぐちけんじ》監督の『山椒大夫《さんしょうだゆう》』（１９５４年）を思い出した。

浜辺で肩を寄せ合うクレオと子どもたち——
その姿は「聖家族」を想起させる

『山椒大夫』はいわゆる「安寿《あんじゅ》と厨子王《ずしおう》」の話で、昔々ある程度豊かだった家族が父を失い、二人の姉弟、安寿と厨子王は拉致されて母とはぐれて、山椒大夫という悪い地主が支配する荘園で働かされる。つまり奴隷にされる。

『山椒大夫』は『ROMA／ローマ』とまず映像がよく似ている。どちらもモノクロで、白黒のコントラストよりもグレーの細かい階調が美しく撮られている。また、アップの積み重ねよりも、ロングの移動撮影やパンによる長回しが多い。

荘園で安寿が犠牲になって、厨子王を逃がす。厨子王は奴隷たちを解放して、山椒大夫を滅ぼし、生き別れになった母を捜す。母は遠い佐渡ヶ島に娼婦として売られていた。最後、砂浜に膝をつく母を厨子王が抱きしめる。

厨子王たちは『ROMA／ローマ』の一家と同じく男性優位社会の犠牲者である。溝口健二監督は、『夜の女たち』（1948年）、『西鶴《さいかく》一代女』（52年）、『祇園囃子《ぎおんばやし》』（53年）などで、日本の歴史の中で女性が受けてきた苦難を描き続けた。『赤線地帯』（56年）のために娼婦に取材をしている最中に、突然泣きながら地面にひざまずいて、「申し訳ない、私たち男たちが女性たちを犠牲にしてきたんです」と土下座したという。その一方で溝口健二自身が母や愛人や妻を踏みにじってきたことも有名だ。彼は女性に対する罪悪感を映画で贖《あがな》おうとしていた。

リボに捧ぐ

すでに述べたように『ROMA／ローマ』もキュアロンの贖罪だ。——僕は甘やかされた子どもだから何も見えてなかったけれど、大人になって考えると、自分たちは先住民の苦境の上に豊かな生活をしていたし、政府はひどい虐殺をしていたし、母がイライラしていたのには理由があったし、リボ・ママもつらさを隠して微笑んでいたんだ——。

最後、洗濯をするために屋上への階段を上がっていくクレオをカメラが追いかけて、空を見上げる。空を飛行機が横切る。足もとの水たまりに映った空から始まった『ROMA／ローマ』は、最後に見上げる空に希望を映している。そこに字幕。

「リボに捧ぐ」

『バラエティ』誌の『ROMA／ローマ』特集号には、五十七歳になったキュアロン監督が七十四歳になったリボさんを抱きしめる写真が掲載されている。

参考文献：
https://variety.com/2018/film/news/roma-alfonso-cuaron-netflix-libo-rodriguez-1202988695/
https://www.indiewire.com/2018/12/roma-emmanuel-lubezki-alfonso-cuaron-cinematography-1202028167/

初出

◆『ツイン・ピークス シーズン3 The Return』「別冊映画秘宝 決定版ツイン・ピークス究極読本」洋泉社 2018年
◆『魂のゆくえ』 劇場パンフレット
◆上記以外はすべて書き下ろしです。

インタビュー初出

◆『シェイプ・オブ・ウォーター』「映画秘宝」2018年4月号/ギレルモ・デル・トロ監督
◆『ファントム・スレッド』「映画秘宝」2018年7月号/ポール・トーマス・アンダーソン監督
◆『魂のゆくえ』「映画秘宝」2019年6月号/ポール・シュレイダー監督

写真クレジット

町山智浩《まちやまともひろ》

映画評論家。ジャーナリスト。一九六二年、東京都生まれ。早稲田大学法学部卒業。『宝島』『別冊宝島』などの編集を経て、一九九五年に雑誌『映画秘宝』創刊。現在、米カリフォルニア州バークレー在住。著書に『映画と本の意外な関係!』(インターナショナル新書)、『最も危険なアメリカ映画』(集英社インターナショナル)、『トラウマ映画館』(集英社)など多数。

インターナショナル新書〇五五

「最前線《さいぜんせん》の映画《えいが》」を読《よ》む Vol.2

映画《えいが》には「動機《ワケ》」がある

二〇二〇年六月一〇日 第一刷発行

著者 町山智浩《まちやまともひろ》

発行者 田中知二

発行所 株式会社 集英社インターナショナル
〒一〇一-〇〇六四 東京都千代田区神田猿楽町一-五-一八
電話 〇三-五二一一-二六三〇

発売所 株式会社 集英社
〒一〇一-八〇五〇 東京都千代田区一ツ橋二-五-一〇
電話 〇三-三二三〇-六〇八〇(読者係)
〇三-三二三〇-六三九三(販売部)書店専用

装幀 アルビレオ

印刷所 大日本印刷株式会社

製本所 大日本印刷株式会社

 Printed in Japan ISBN978-4-7976-8055-3 C0274

定価はカバーに表示してあります。

インターナショナル新書

005
映画と本の意外な関係!
町山智浩

映画の名シーンに登場する本や言葉は、作品を読み解くうえで重要な鍵を握っている。作中の本や台詞などを元ネタの文学や詩までに深く分け入って解説するのみならず、アメリカ社会の深層をもあぶり出す、まったく新しい映画評論。

021
「最前線の映画」を読む
町山智浩

『ラ・ラ・ランド』はラブ・ロマンスにあらず。『ブレードランナー 2049』と『ロリータ』には意外な接点がある!? スコセッシ監督が遠藤周作の『沈黙』の映画化にこだわった理由とは? あの話題作・ヒット作に隠された「秘密」を解き明かす!

053
欲望の経済を終わらせる
井手英策

新自由主義はなぜ必要とされ、影響力を持ったのか。歴史を検証し、スリリングに解き明かす。そして、格差・貧困が広がった反省を踏まえ、共同体の「秩序」と深く結びついていた経済本来の姿に返る財政改革を提言。貯金ゼロでも、何か起きても安心の社会へ!

054
大和魂のゆくえ
島田裕巳

近世から近代にかけて強い関心が集まった大和魂。平安時代は生活に根ざした知恵を意味していたが、いつしか勇猛果敢な精神と捉えられるようになった。グローバル化が成熟する今、日本での霊や魂の変遷をたどりながら、大和魂のゆくえを探る。